GW00771065

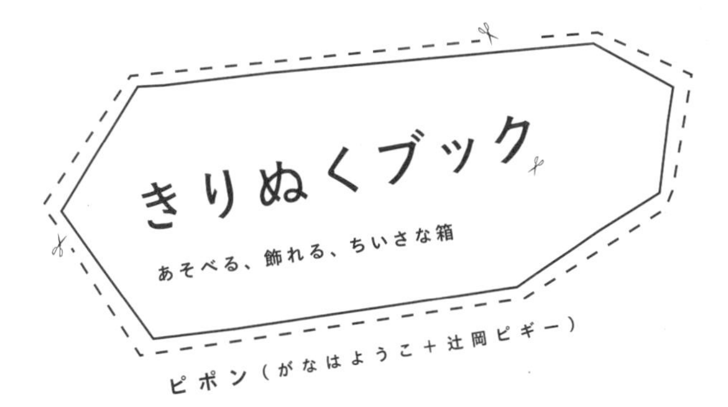
きりぬくブック
あそべる、飾れる、ちいさな箱
ピポン（がなはようこ＋辻岡ピギー）

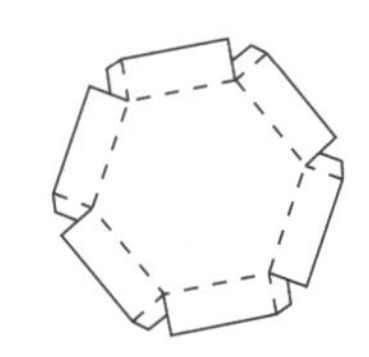

BNN
Bug News Network

ごあいさつ

この本をちょきちょき切ってみてください。
ちいさな箱ができあがります。
箱の中には大切な小物を入れましょう。
マトリョーシカの箱は机の上に、とりかごの箱は窓辺につって…
かわいい箱いっぱいあるって、なんだかとってもしあわせです。

Ganaha Yoko　Piggy Tsujioka

きりぬくブック

あそべる、飾れる、ちいさな箱

2010年11月1日　初版第1刷発行

著者　ピポン（がなはようこ＋辻岡ピギー）

写真　池田ただし
装丁　陰山真実（Aleph Zero, inc.）

発行人　籔内康一

発行所　株式会社ビー・エヌ・エヌ新社
〒150-0022
東京都渋谷区恵比寿南一丁目20番6号
FAX: 03-5725-1511
E-mail: info@bnn.co.jp
URL: www.bnn.co.jp

印刷・製本　株式会社光邦

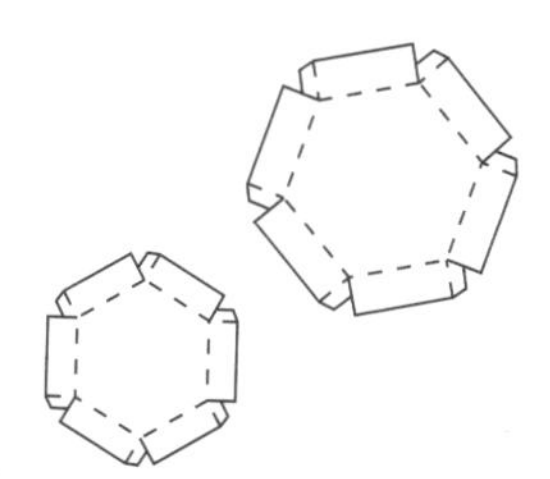

ISBN978-4-86100-758-3

＊本書は雄鶏社から刊行された「切りぬくBOOK2」を改題・再版したものです。

もくじ

箱のできあがり写真

ラベル

平面図からつくる箱に貼ります

切りぬいてつくる箱

ページを切りぬいて組み立てます

How to make Paper Box

箱をきれいにつくるために

平面図からつくる箱

箱の平面図をコピーして
型紙をつくれば、
好みの紙で、たくさんできます

切りぬきます
Матрёшка
組み立てます
できあがり

ケーキの箱

切りぬいてつくるカットケーキの箱 P30 ／
平面図からつくるホールケーキの箱（ふた付きの円形箱）P64 ／
ラベル P19

好きな色の紙をつかって平面図から円形のふた付き小箱をつくります。
ラベルを貼れば、かわいいデコレーションホールケーキのできあがり！
切りぬくだけでできるカットケーキの箱５種類は、
ホールケーキの箱にすっぽり収まります。
どの味がお好み？

野菜のコンテナ

平面図からつくる台形の箱 P71／ラベル P20

かわいい野菜のラベルを貼って並べたら、窓辺が小さなマルシェみたい。

苺とバスケット

切りぬいてつくる苺とバスケット P26

苺ひと粒の中にも、こものが入れられます。
切りぬくだけの苺５粒とバスケットのセット。

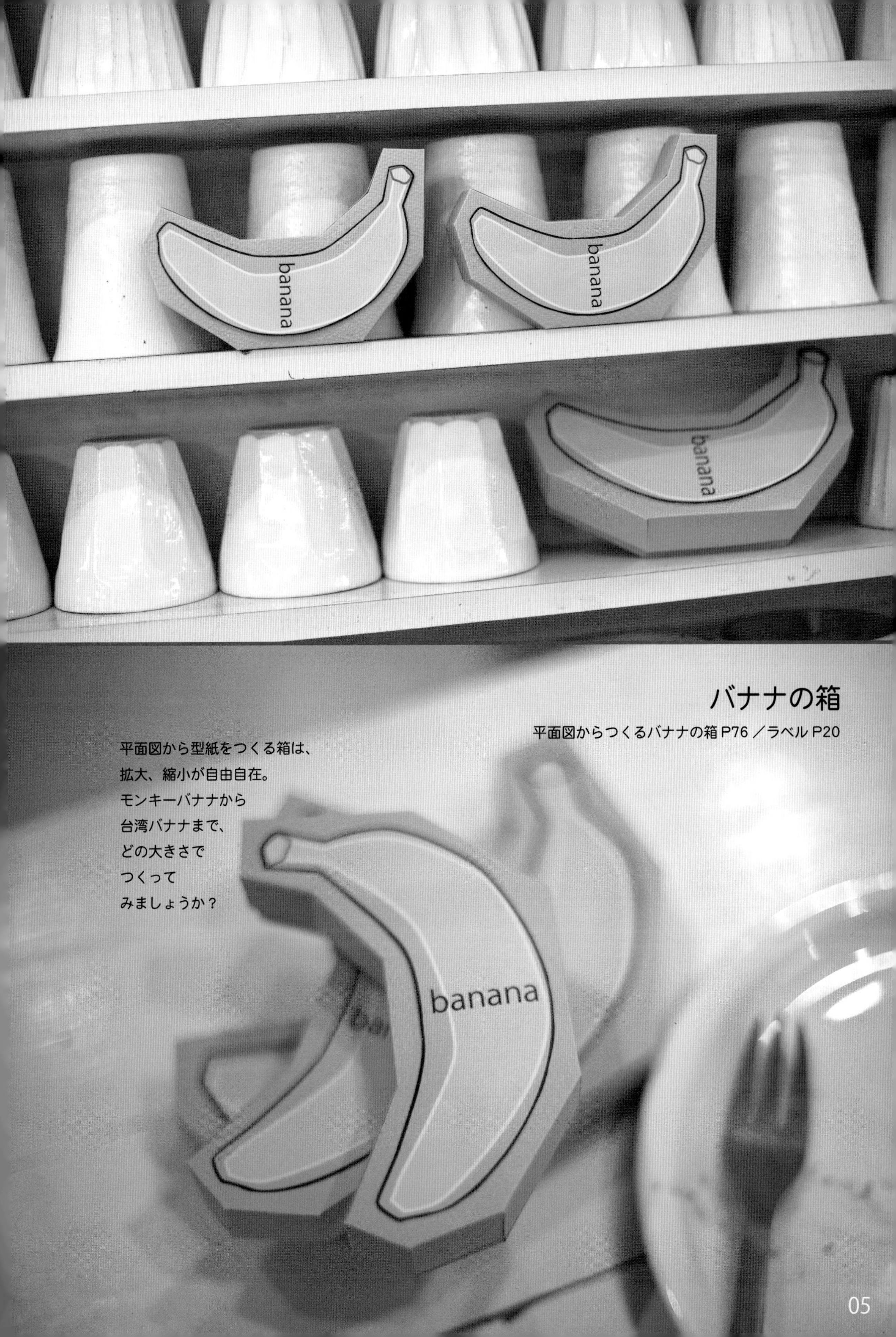

バナナの箱

平面図からつくるバナナの箱 P76 ／ラベル P20

平面図から型紙をつくる箱は、
拡大、縮小が自由自在。
モンキーバナナから
台湾バナナまで、
どの大きさで
つくって
みましょうか？

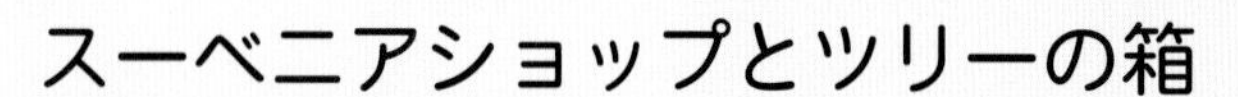

スーベニアショップとツリーの箱

切りぬいてつくるスーベニアショップ P50
平面図からつくるツリーの箱（テトラ形の箱）P73 ／ラベル P19

おうち形のスーベニアショップの箱は、屋根がふたです。
家のまわりの垣根はとりはずしができます。
ツリーのラベルを貼った平面図からつくるテトラ形の箱には、
緑色の紙が似合います。

どうぶつの箱

切りぬいてつくるどうぶつの箱のふた P34 ／
平面図からつくるどうぶつの箱の本体 P67 ／
六角形のどうぶつの箱
（ふた付きの六角箱）P68 ／
ラベル P18

どうぶつの小箱は 8 つ。
平面図からつくる六角形の箱に収まります。
小箱の形はまちまちなので、
まるでパズルみたい。
ふたのラベルを見ながら入れてくださいね。

巣箱とポストと
牛乳箱

平面図からつくる壁かけ箱 P75 ／
ラベル P19・20

平面図で型紙をつくれば、
たくさんの箱を好みの色で
つくることができます。
型紙を拡大縮小して、
ラベル違いのいろんな
使い道の箱に。
紙でつくる小さな箱なので、
牛乳ビンが入れられないのが
ちょっと残念。

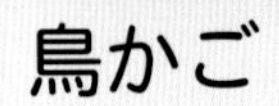

鳥かご

切りぬいてつくる鳥かご P38

ブルー地に白ストライプの
おしゃれな鳥かごが 3 つ。
それぞれ小鳥が住んでいます。
物を入れるときは、底を開けてください。

お裁縫のパーツは細々したものがいっぱい。
整理整頓にこんな箱はいかが。
ボタンをほんの少し入れておくとしたら…
平面図と一緒にラベルも
縮小してつくれば、
小さなかわいいボタンの箱ができます。

お裁縫こものの箱

平面図からつくる四角い箱 P74 ／ラベル P20

スリーブの箱

切りぬいてつくるスリーブの外箱 P41〜44 ／平面図からつくるスリーブの内箱 P67

切りぬいてつくるスリーブの面は、表側でも裏側でも好みの模様が選べます。
上の写真はカラフルな幾何学模様を、
下は、薄茶とグリーンの模様の方を使いました。

絵本の箱

切りぬいてつくる絵本の箱の表紙 P54 ／
平面図からつくる絵本の箱の内箱 P70

絵本の箱は、
並べておくだけで
小さな本棚。
表紙を開くと、
物語のかわりに
輪ゴムやクリップが
入れられます。

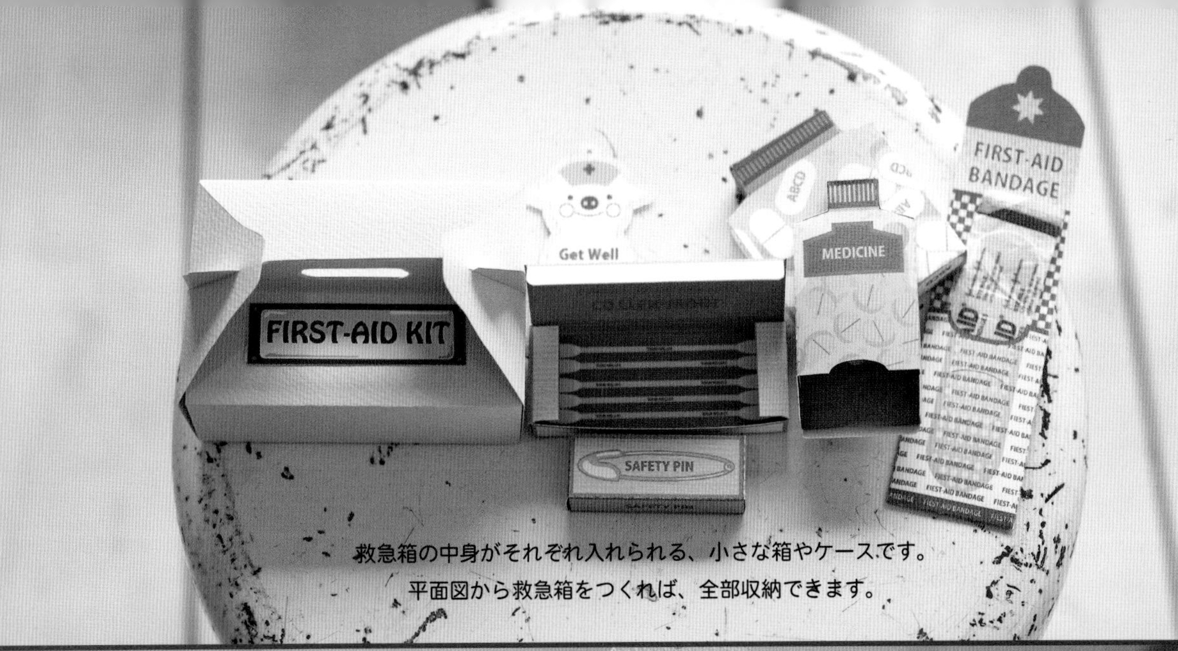

救急箱の中身がそれぞれ入れられる、小さな箱やケースです。
平面図から救急箱をつくれば、全部収納できます。

薬の箱

切りぬいてつくる薬の箱 P46 ／
平面図からつくる救急箱（持ち手付きの箱）P65

マトリョーシカ

切りぬいてつくるマトリョーシカ P22

乙女心をくすぐる、
かわいい三人娘。
マトリョーシカの小箱です。
本物のマトリョーシカみたいに、
入れ子にはならないけれど、頭をはずすとこもの入れに。

人形たちの箱

切りぬいてつくる人形たち P58 ／平面図からつくる箱３種（小さな箱セット）P66

いろんな国の
民族衣装をまとった人形たち。
ひとりずつに前向きと後ろ向きの絵があって、
平面図からつくった箱の表と裏に、切りぬいた人形たちではさむように貼ります。
箱の形は３種。ひとくちチョコが２コ４コ８コ、それぞれ入る大きさです。

平面図からつくる箱のいろいろ

平面図 P64〜76

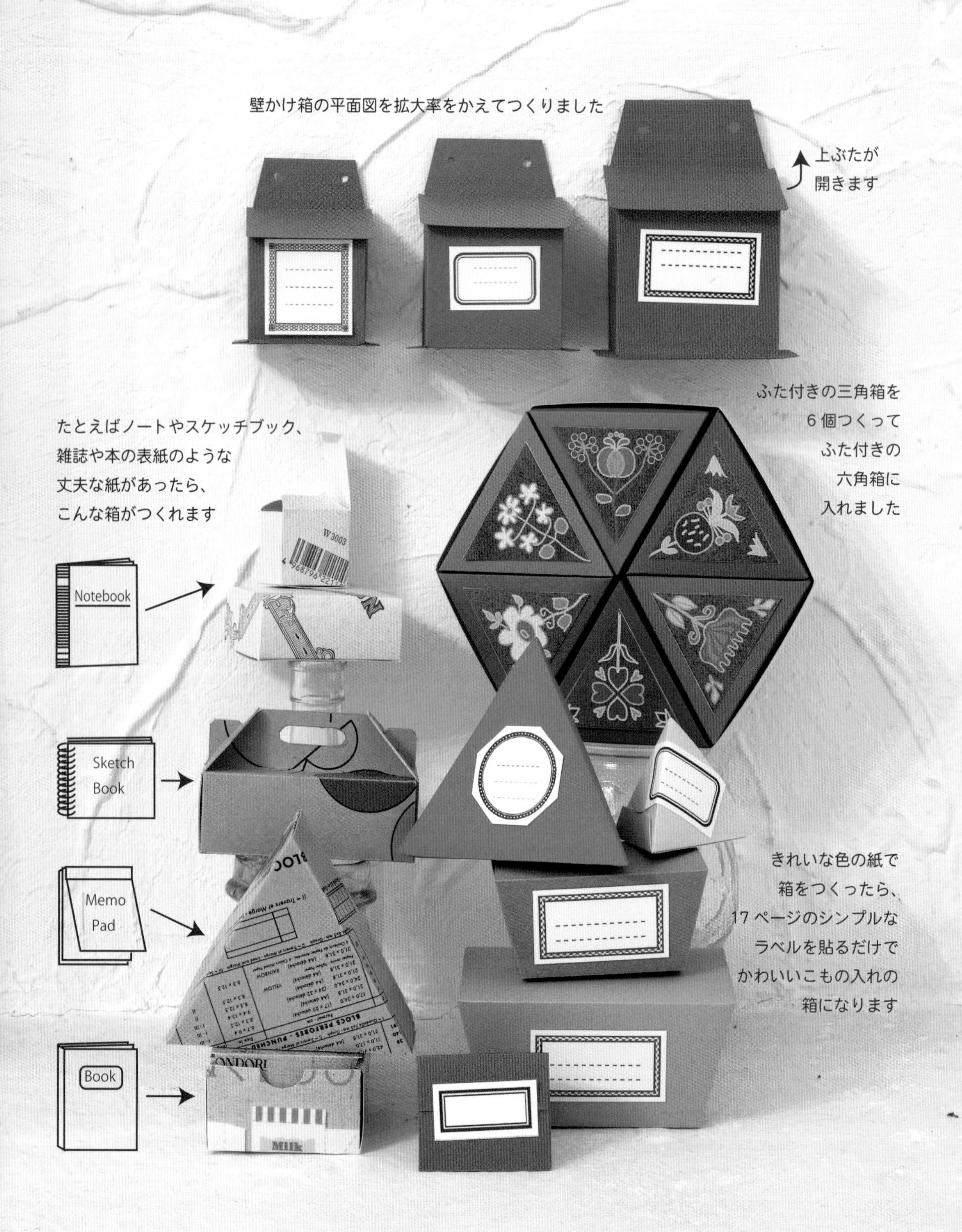

シンプルなラベル

使い方いろいろ。貼りたい箱に合わせ、
カラーコピーで拡大・縮小して
切りぬき、箱に貼ります

いろいろな箱のためのラベル

貼りたい箱に合わせ、カラーコピーで拡大・縮小して
切りぬき、箱に貼ります

Tarts,Pies,Cakes,Tarts,Pies,Cakes,Tarts,Pies,Cakes,Tarts,Pies,Cakes,Tarts,Pies,Cakes,Tarts,Pies,Cakes,
Happy Birthday
Happy
Valentine's Day
Congratulations!

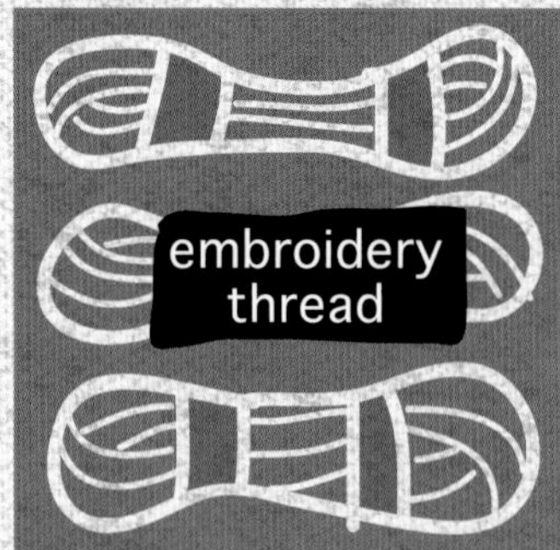

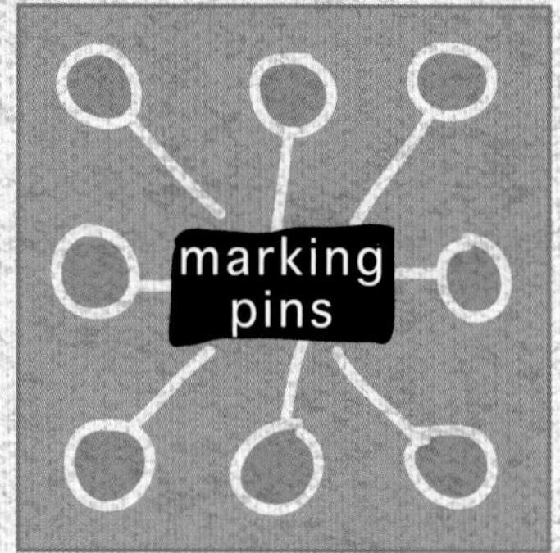

貼りたい箱に合わせ、
カラーコピーで拡大・縮小して
切りぬき、箱に貼ります

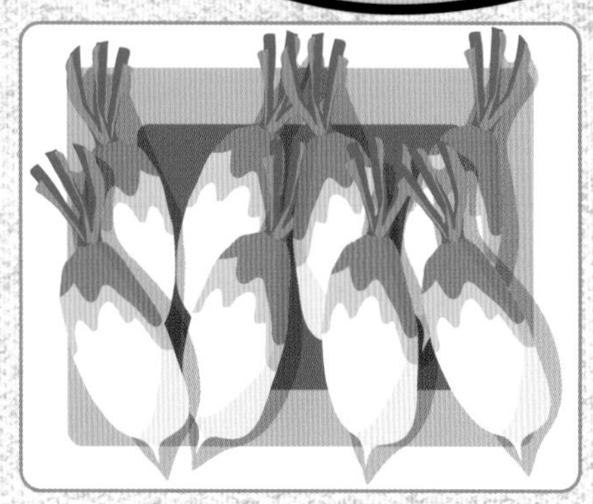

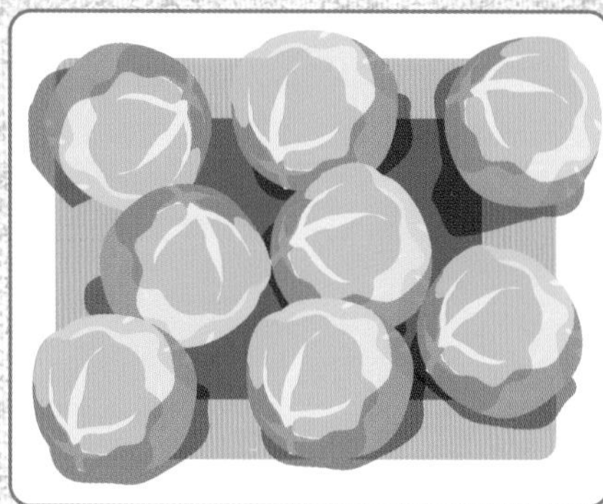

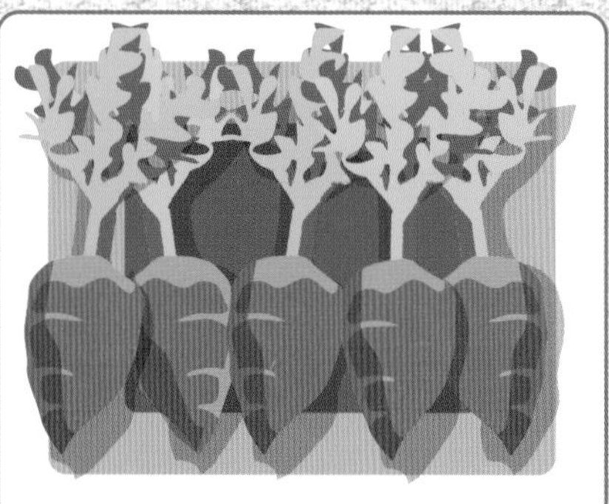

切りぬいてつくる箱

マトリョーシカの裏面

マトリョーシカ

できあがり写真　14ページ

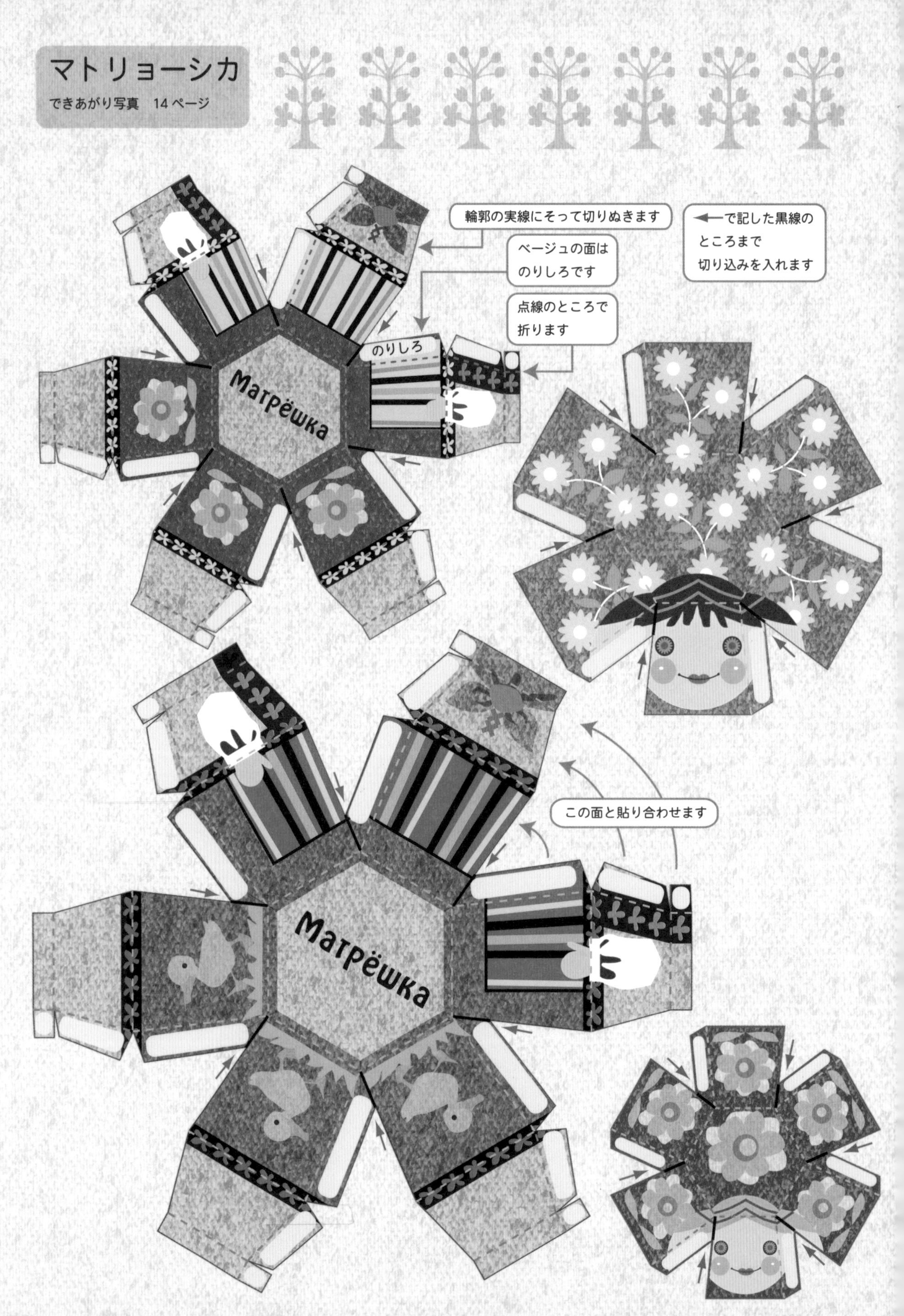

Матрёшка

マトリョーシカの
裏面

のりしろ　パーツ１のフチが、
折り目に合うように貼ります

苺とバスケットの裏面

パーツ１を貼ります

のりしろ　パーツ２のフチが、
折り目に合うように貼ります

バスケットのパーツ 1

バスケットのパーツ 2

パーツ 2 に貼る

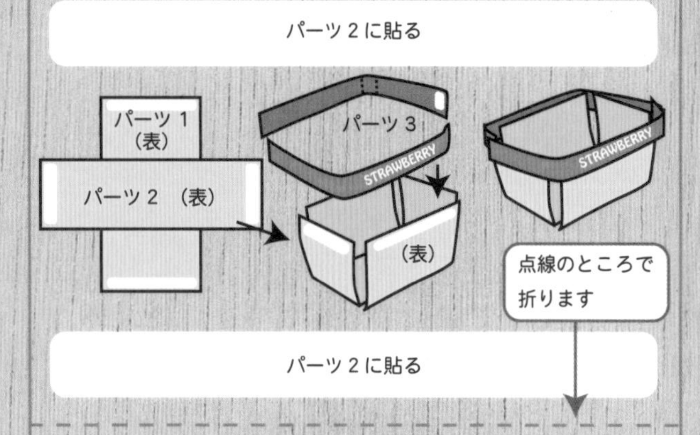

パーツ 2 に貼る

のりしろ

白い面は
のりしろです

STRAWBERRY
BASKET

STRAWBERRY
BASKET

Ⓑ

STRAWBERRY BASKET

バスケットのパーツ 3

実線にそって切りぬきます

輪郭線にそって切りぬきます

STRAWBERRY BASKET Ⓐ

苺とバスケット

できあがり写真　04 ページ

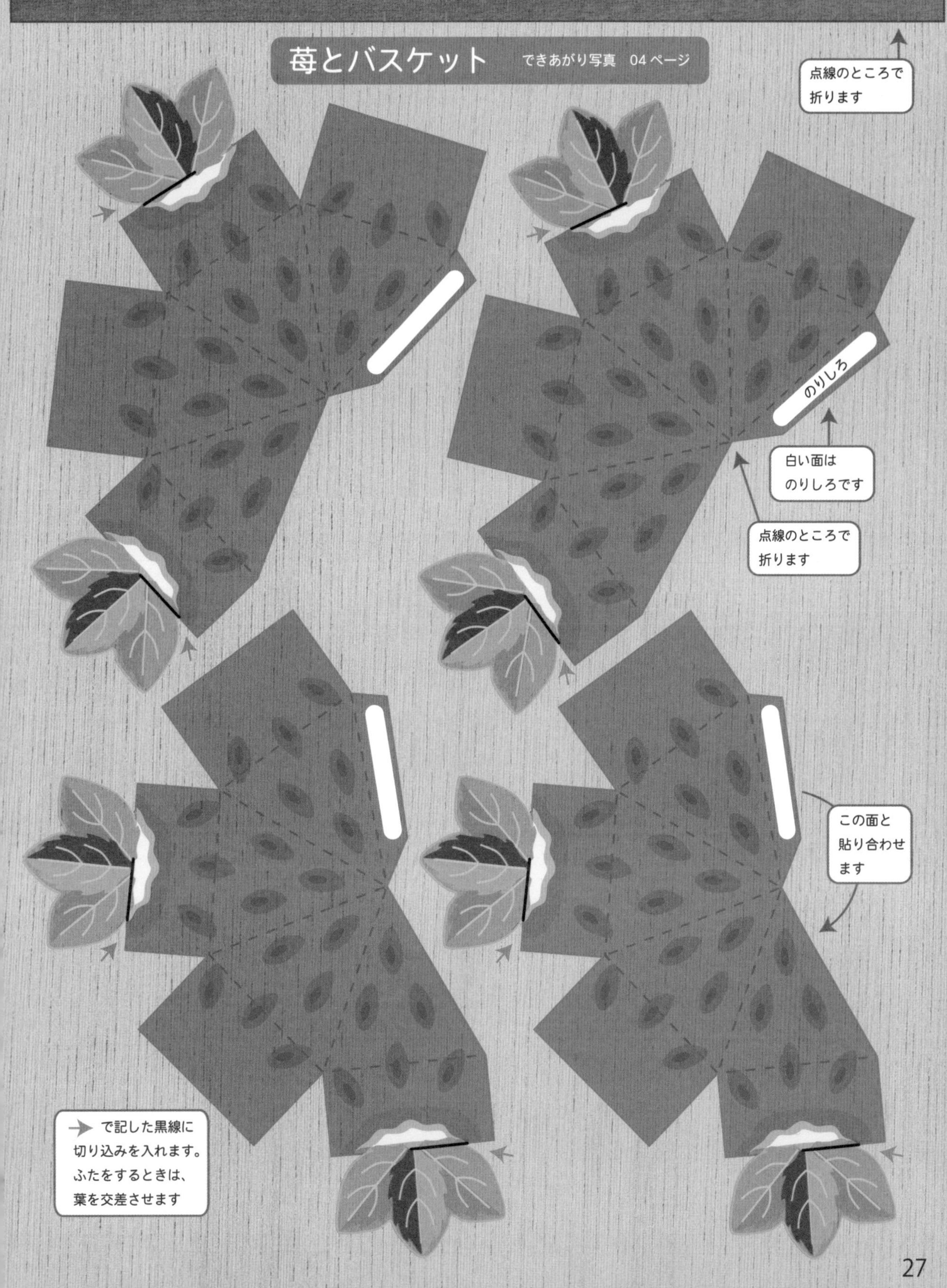

のりしろ　パーツ１のフチが、
折り目に合うように貼ります

のりしろ　パーツ２のフチが、
折り目に合うように貼ります

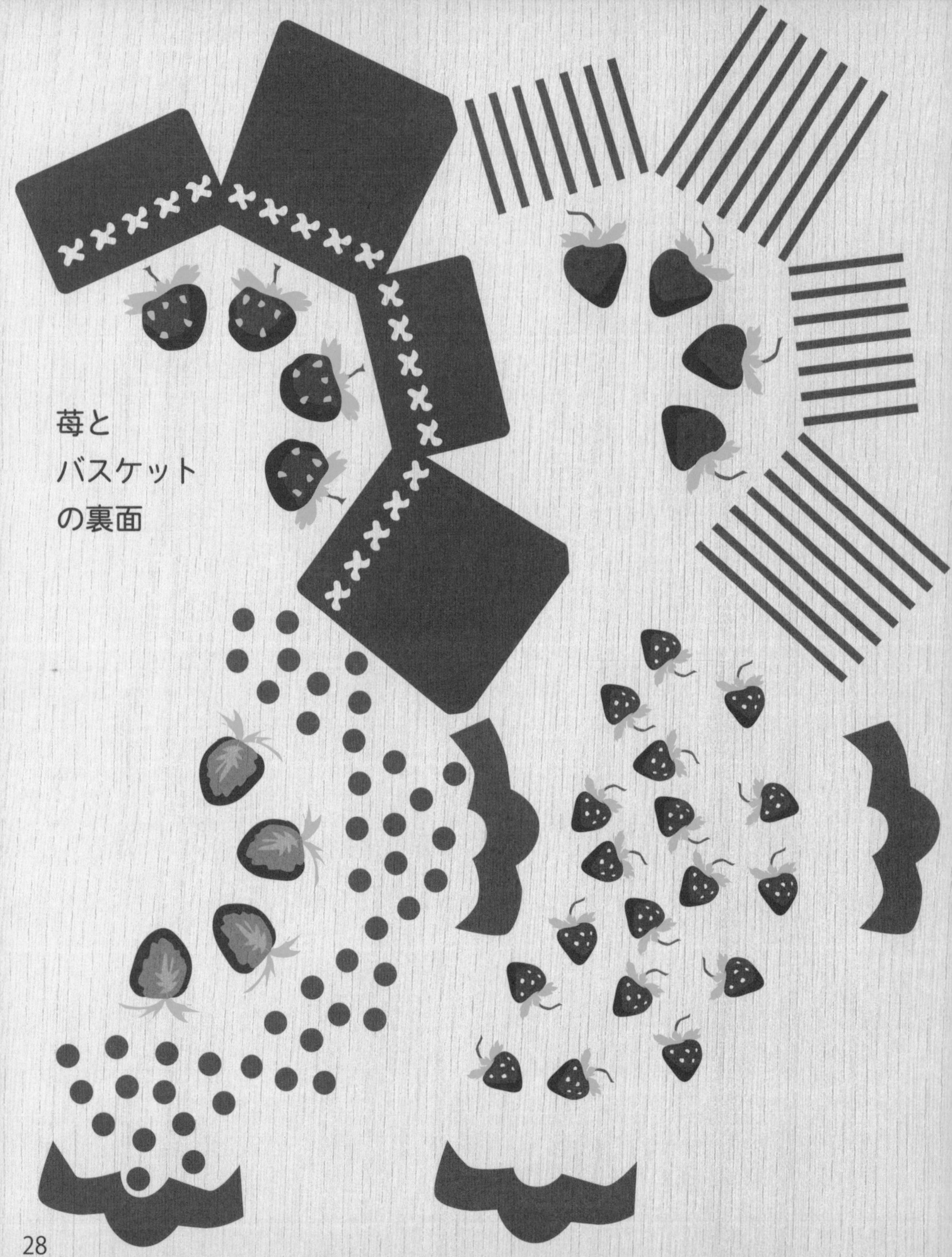

苺と
バスケット
の裏面

カットケーキの箱の裏面

カットケーキの箱

できあがり写真　02 ページ

外箱のホールケーキは、64 ページのふた付きの円形箱の平面図を 150%に拡大して型紙をつくります。
19 ページのラベルは、原寸で使います。
150%に拡大した円形の箱にちょうどよいサイズです

Small cakes
Small cakes
Small cakes
Small cakes

カットケーキの
箱の裏面
Small Cakes

どうぶつの箱の裏面

どうぶつの箱のふた
できあがり写真　07ページ
67〜69ページの平面図から、別紙で箱の本体をつくります
どうぶつの箱のふたです
Rabbit
Donkey
輪郭線にそって切りぬきます
図の中の黒線に切り込みをいれます
点線のところで折ります
Deer
Hedgehog
のりしろ
ベージュ色の面はのりしろです

平面図からつくる
箱の本体の底に
貼るラベルです
輪郭線にそって
切りぬきます
Sheep
Bird
Squirrel

どうぶつの箱の裏面

鳥かごの裏面

軽く貼り合わせると形が整います
のりしろ
折りたたんでから貼る
軽く貼り合わせると
形が整います
のりしろ
折りたたんでから貼る

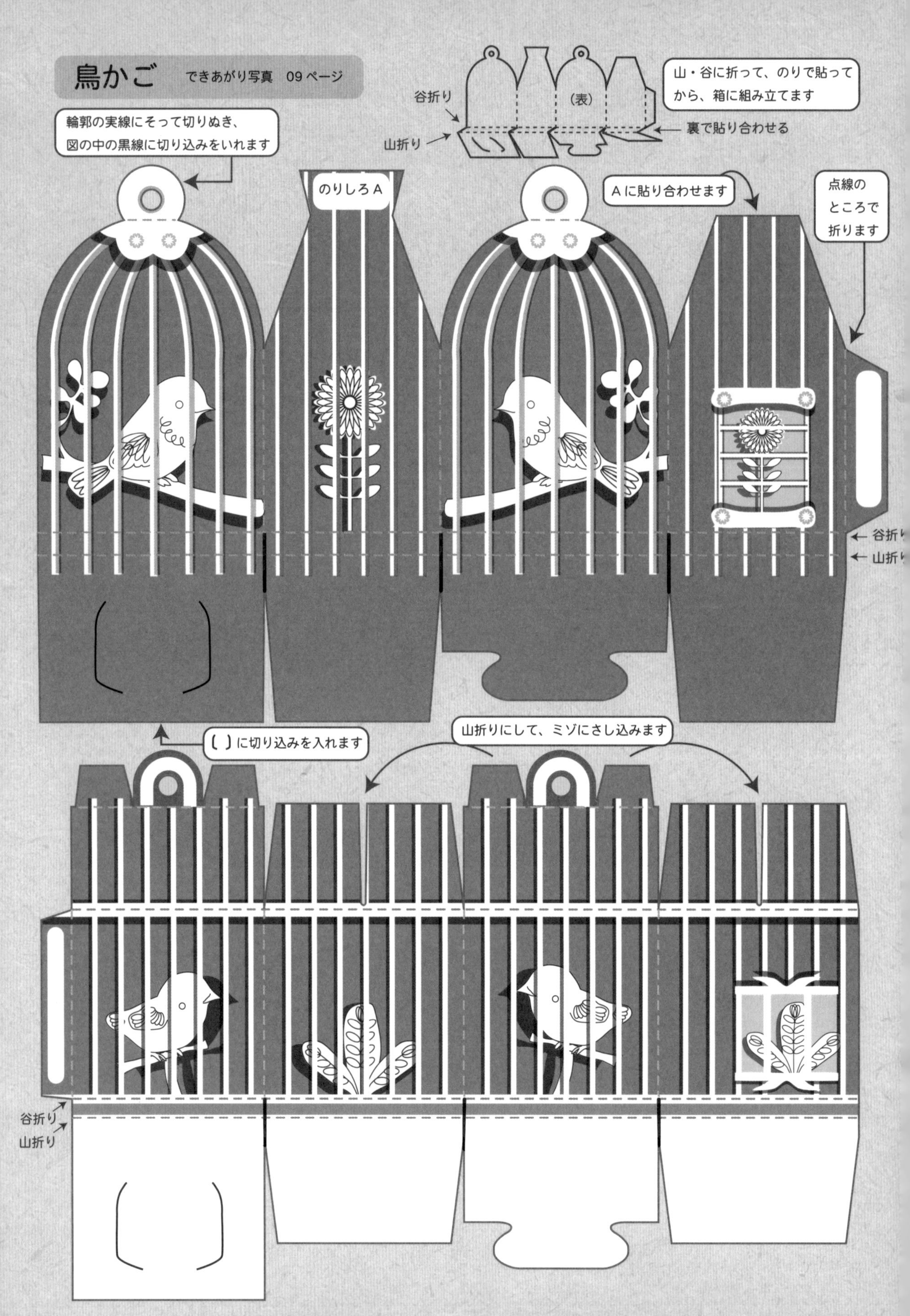
鳥かご　できあがり写真　09 ページ
輪郭の実線にそって切りぬき、
図の中の黒線に切り込みをいれます
谷折り
山折り
(表)
山・谷に折って、のりで貼ってから、箱に組み立てます
裏で貼り合わせる
のりしろ A
A に貼り合わせます
点線のところで折ります
谷折り
山折り
( )に切り込みを入れます
山折りにして、ミゾにさし込みます
谷折り
山折り

最後に、上部を
貼り合わせます
できあがり
クリーム色の面は、のりしろです
のりしろ
この面に
貼り合わせます
山折り
谷折り
谷折り

鳥かごの裏面

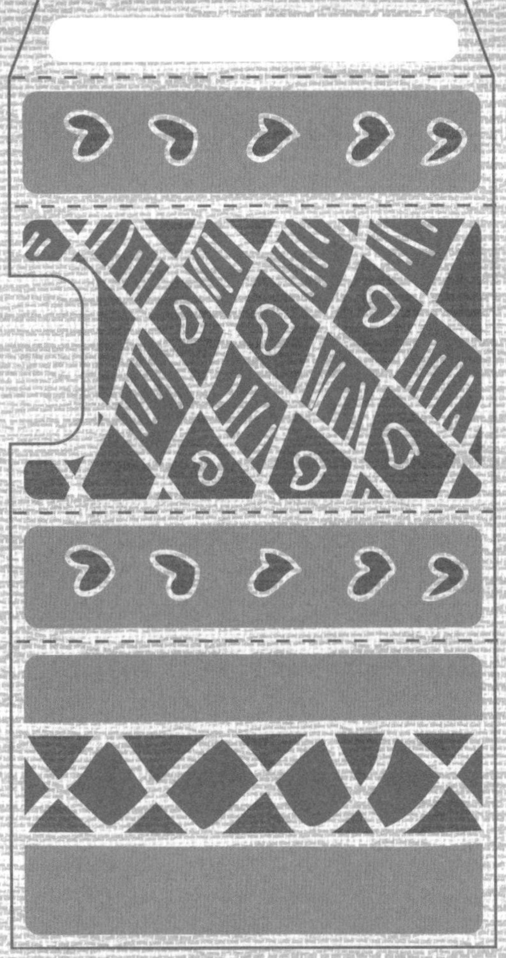

スリーブの外箱

できあがり写真　11ページ

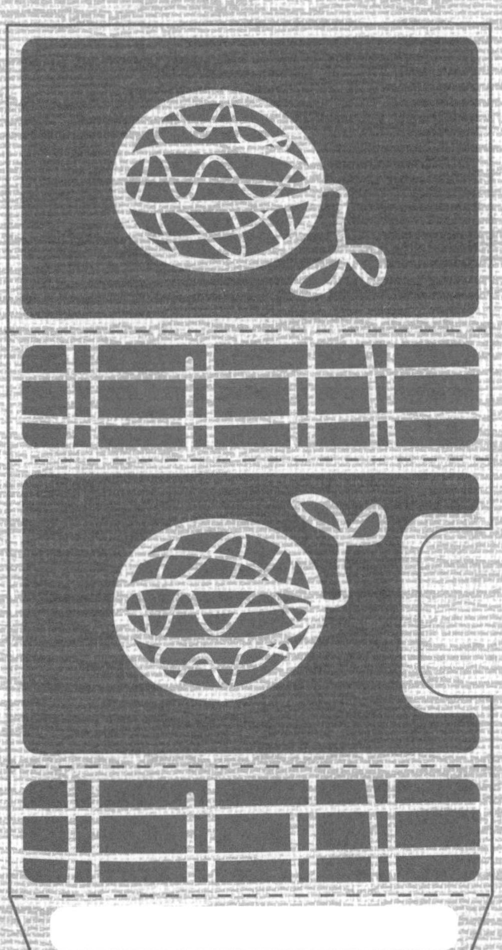

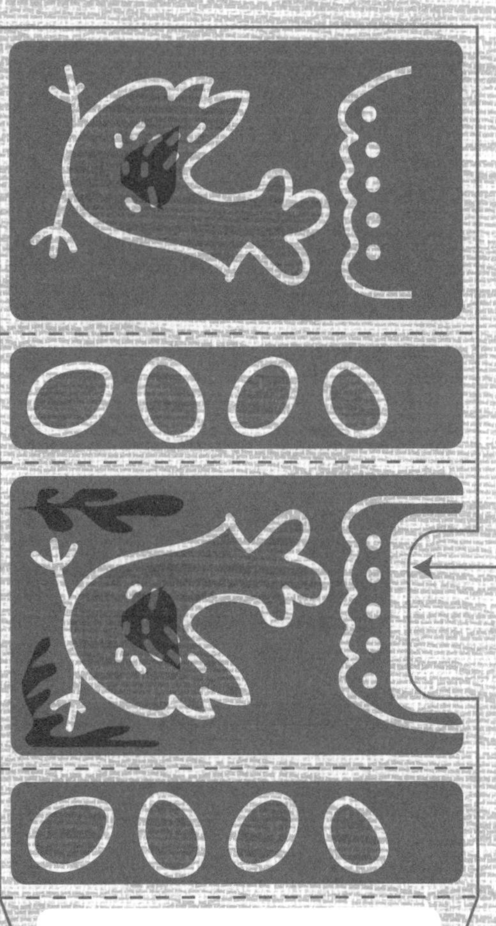

スリーブの外箱は、この実線にそって切りぬきます

スリーブの外箱　できあがり写真　11ページ

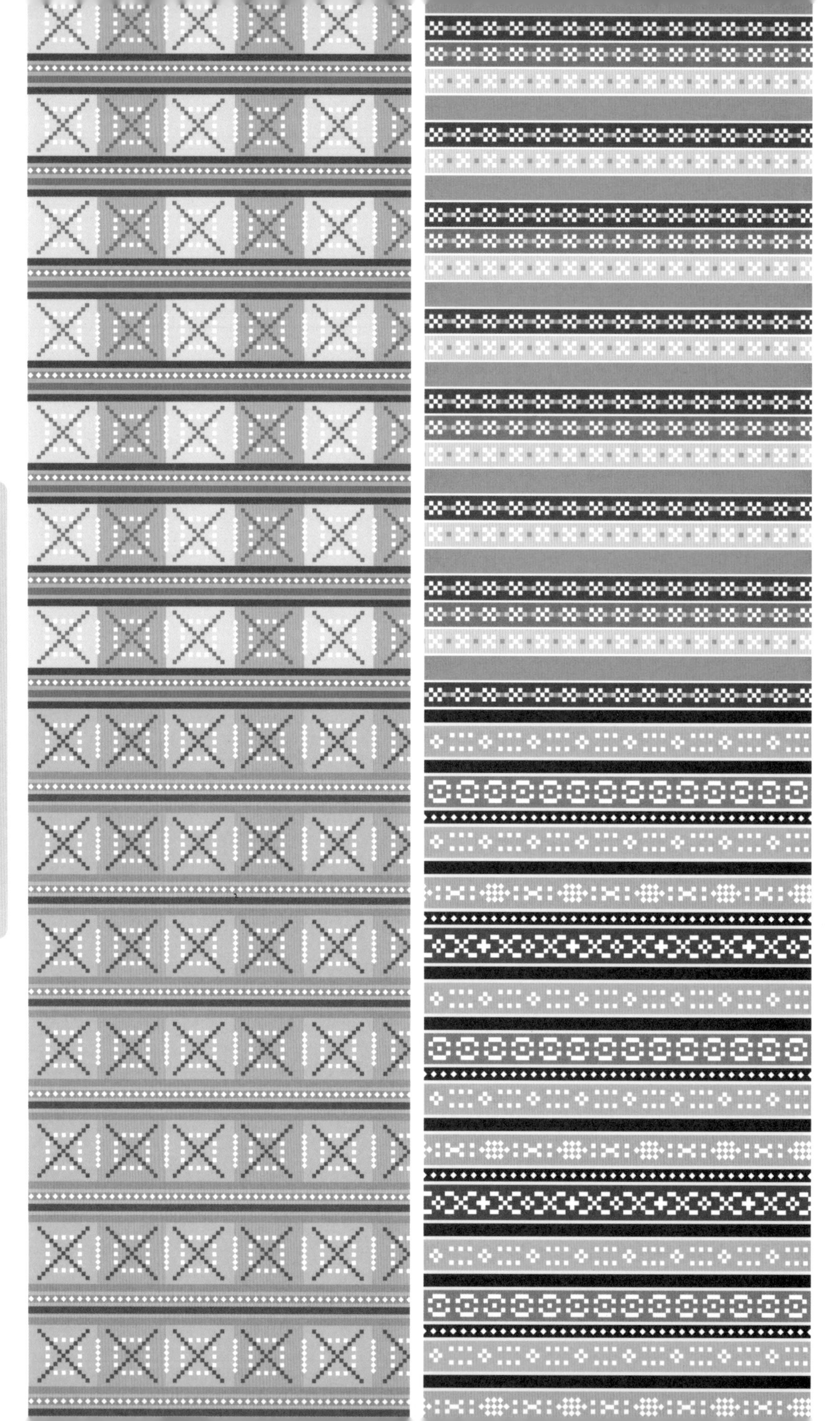

スリーブの外箱は、裏面の実線にそって切りぬきます。42・43ページか41・44ページのどちらでも、好きな模様の方を表にして組み立ててください。

スリーブの外箱

できあがり写真　11ページ

スリーブの外箱は、この実線にそって切りぬきます

のりしろ

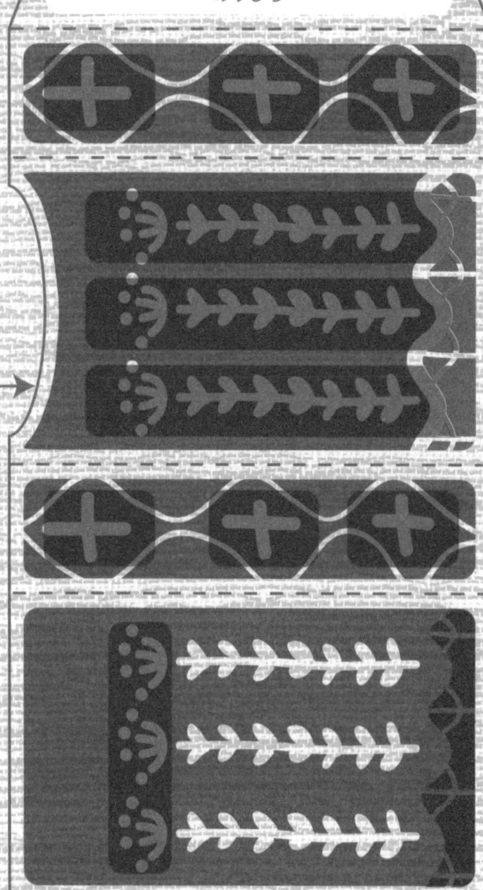

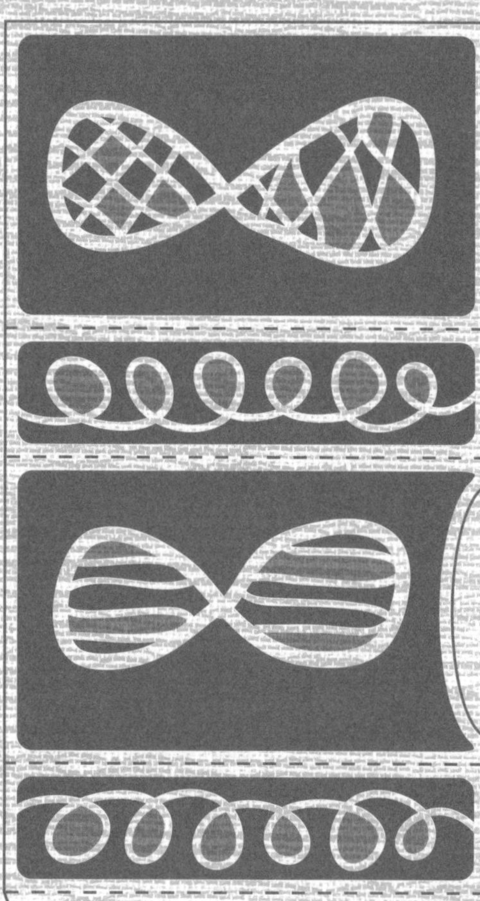

FIRST-AID
BANDAGE

SAFETY PIN

SAFETY PIN

SAFETY PIN

SAFETY PIN

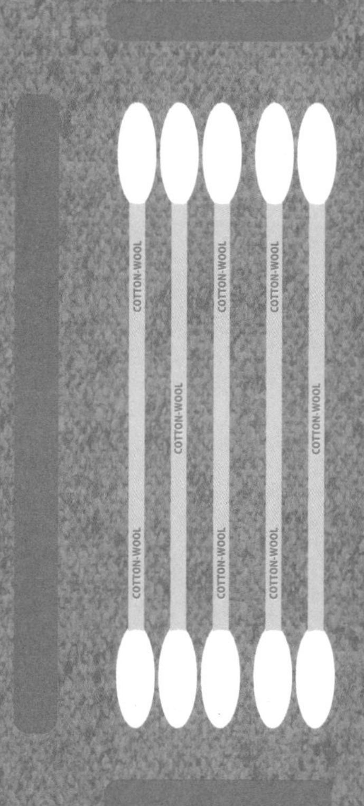

COTTON-WOOL

薬の箱　できあがり写真　13ページ

できあがり写真　13ページ

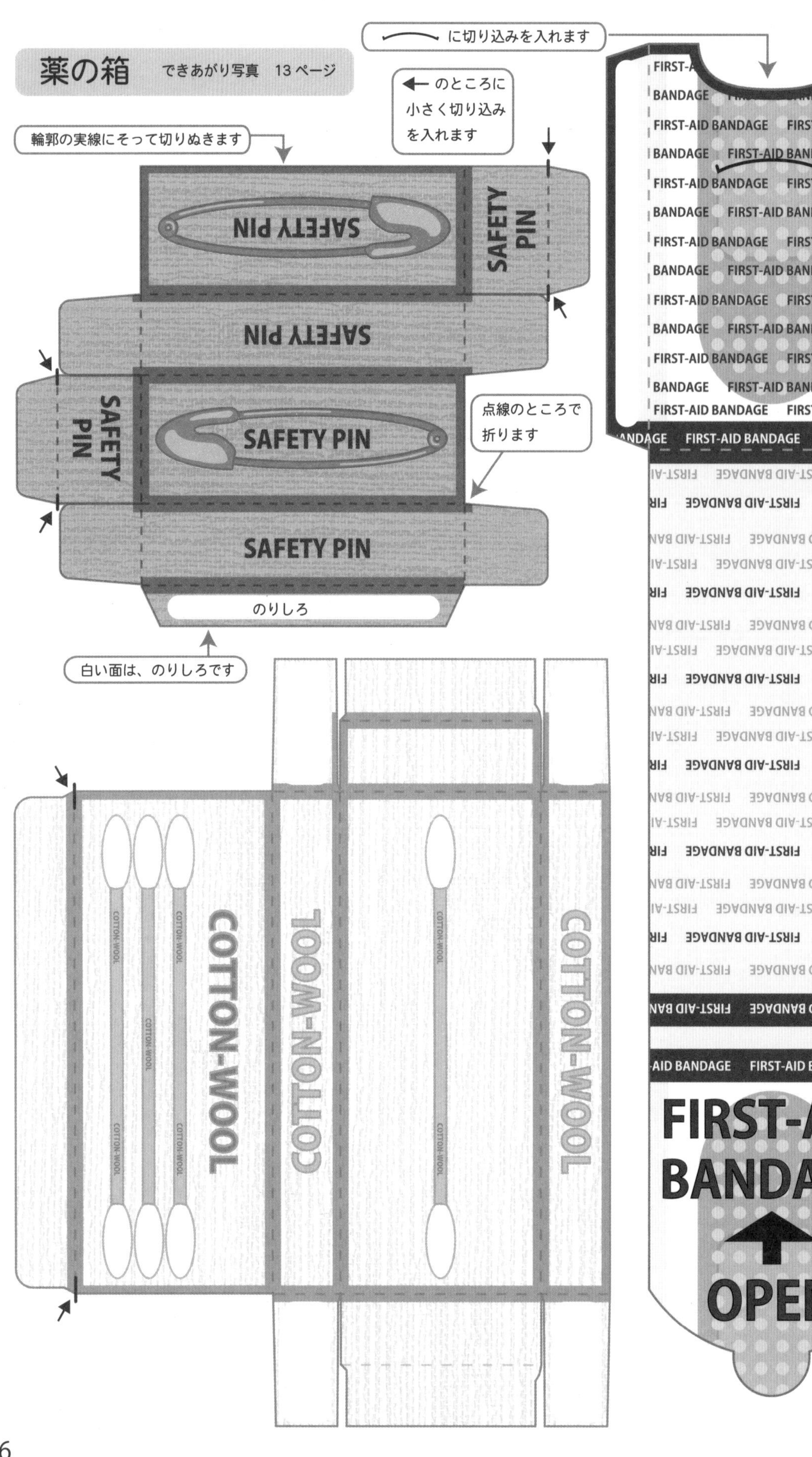

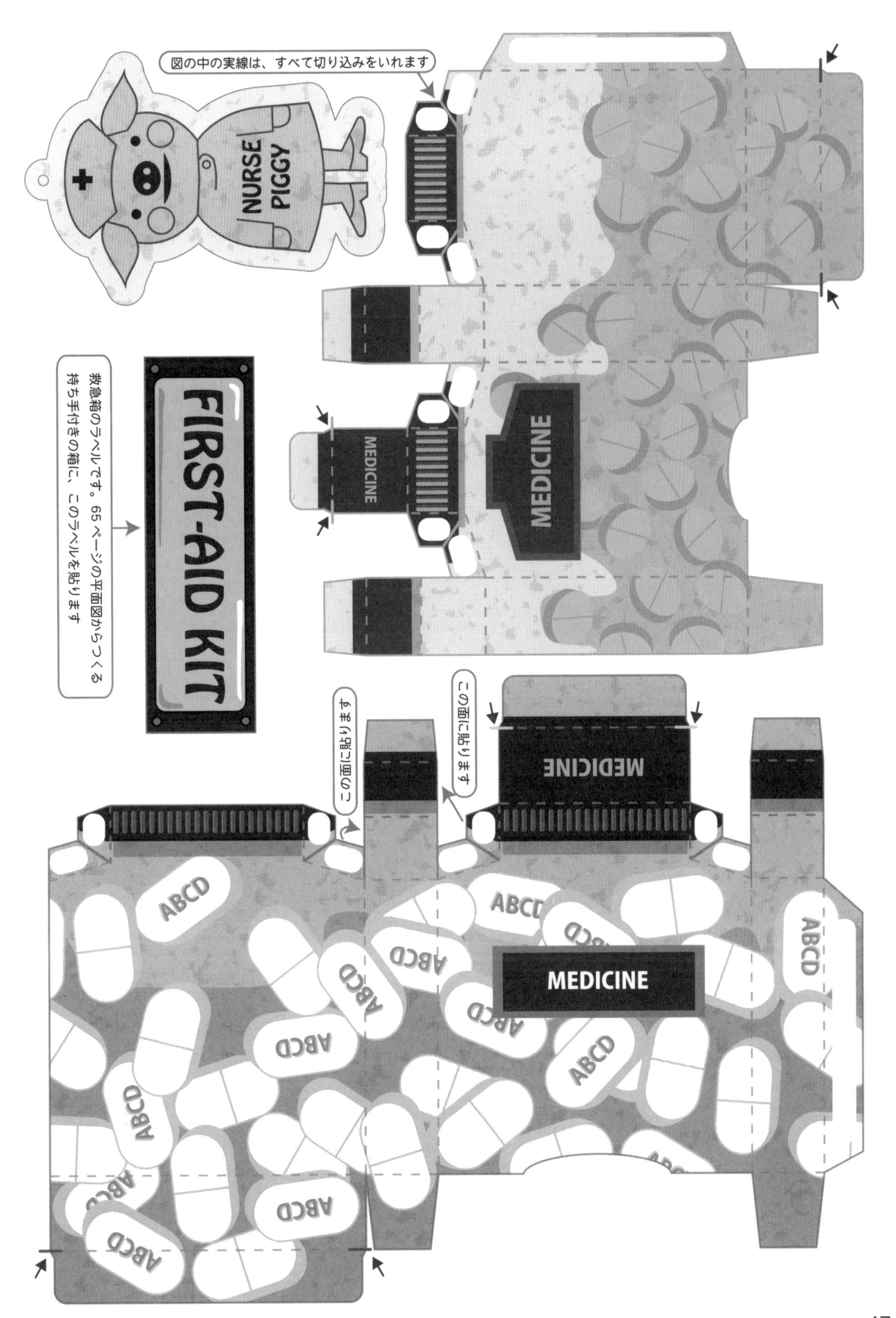
図の中の実線は、すべて切り込みをいれます
NURSE
PIGGY
救急箱のラベルです。65ページの平面図からつくる
持ち手付きの箱に、このラベルを貼ります
FIRST-AID KIT
MEDICINE
MEDICINE
この面に貼ります
この面に貼ります
MEDICINE
MEDICINE
ABCD

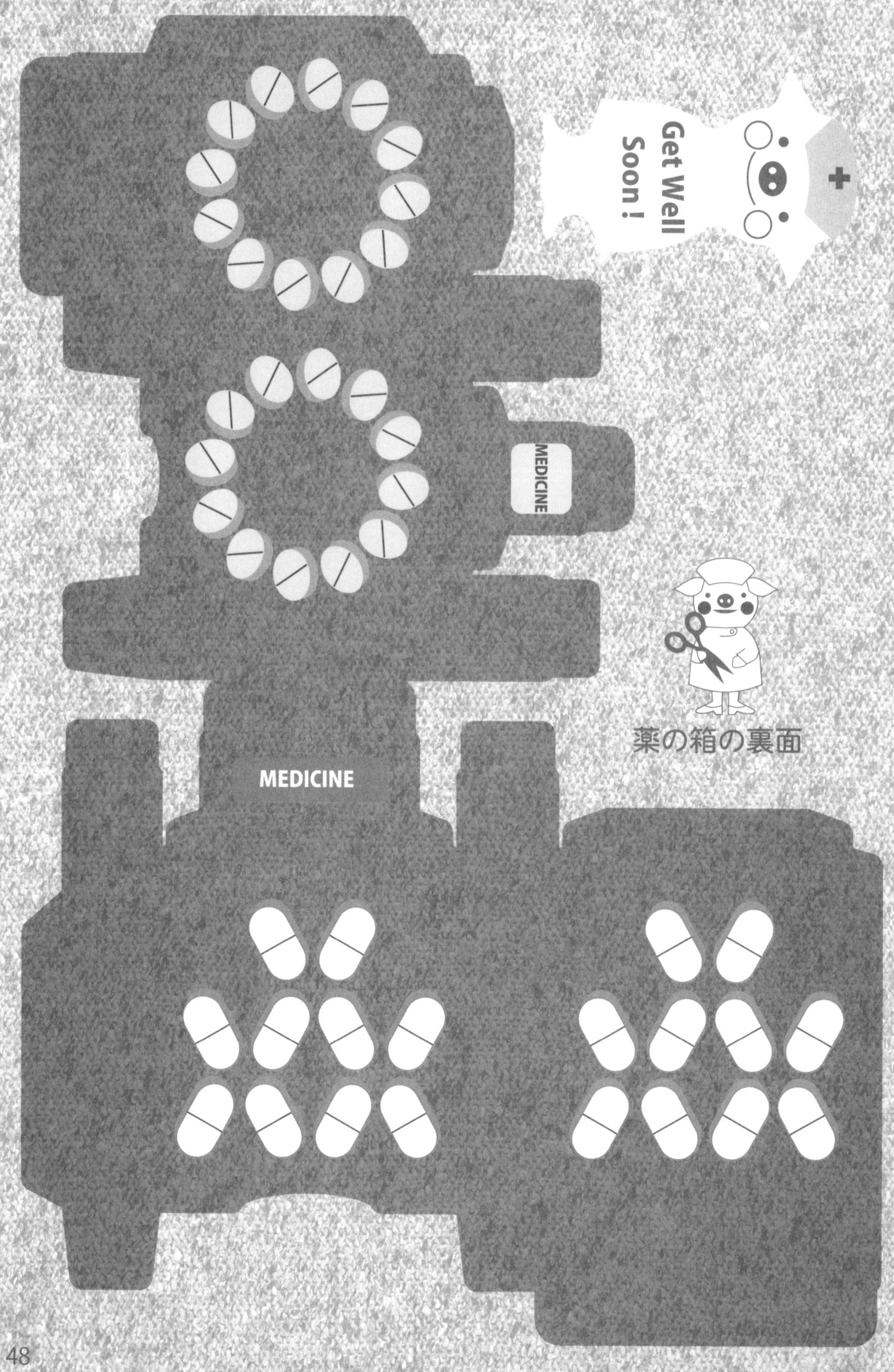

薬の箱の裏面

スーベニアショップ

できあがり写真　06 ページ

この面に貼ります
貼り合わせます
のりしろ
Souvenir Shop

スーベニア
ショップの裏面

のりしろ
折りたたんでから貼る

Souvenir Shop

絵本の箱の表紙の裏面

のりしろ　折りたたんでから貼る
Little Red Riding Hood
BOOK
A
のりしろ
絵本の箱の内箱（A）
に貼ります
のりしろ　折りたたんでから貼る
Mother Goose
BOOK
B
のりしろ
絵本の箱の内箱（B）
に貼ります

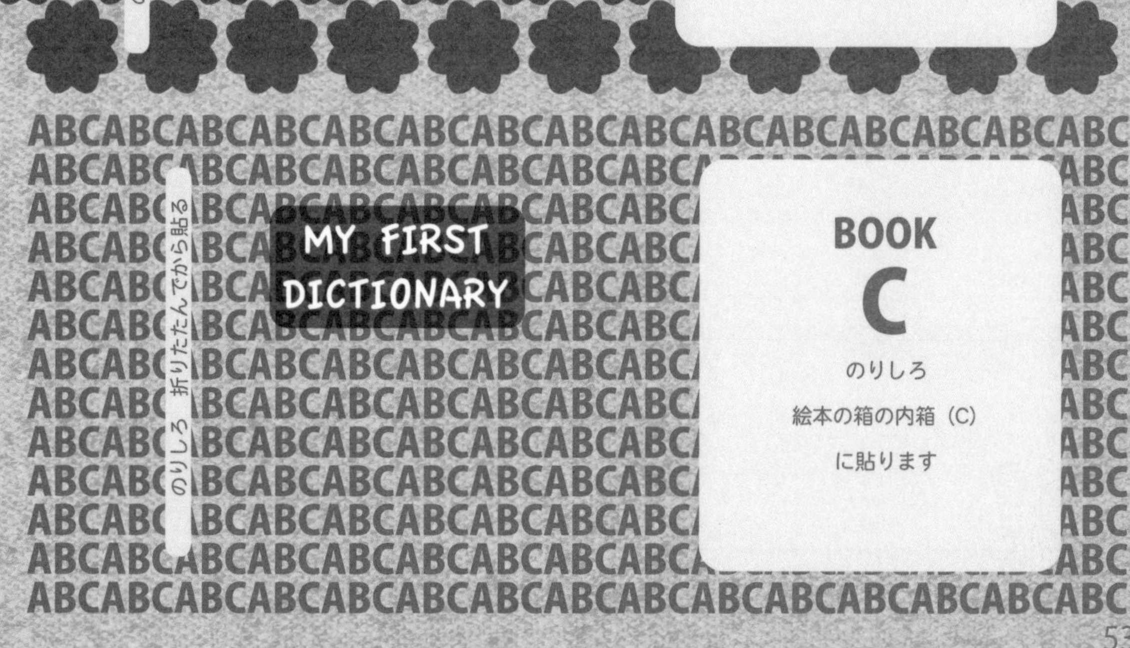

のりしろ　折りたたんでから貼る
MY FIRST
DICTIONARY
BOOK
C
のりしろ
絵本の箱の内箱（C）
に貼ります

絵本の箱の表紙　できあがり写真　12 ページ

BOOK
(表)
絵本の箱の表紙です。
図のように、山と谷に折ります
(表)
BOOK
70ページの平面図からつくる
内箱を組み立てて貼ります

PINOCCHIO
BOOKS
PINOCCHIO

Baby Animals
BOOKS
Baby Animals

Bedtime Stories
BOOKS
Bedtime Stories

絵本の箱の表紙の裏面

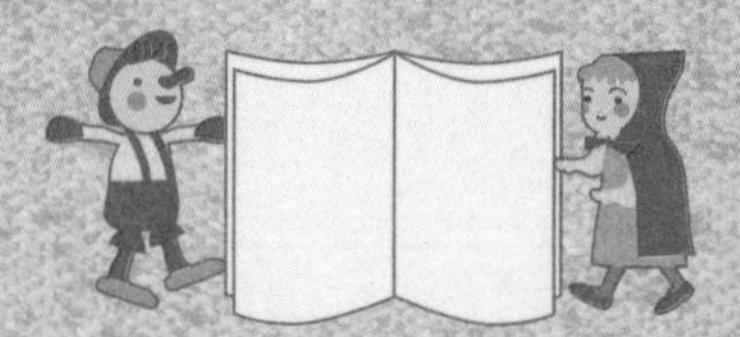

のりしろ　折りたたんでから貼る

BOOK
A

のりしろ

絵本の箱の内箱（A）

に貼ります

のりしろ　折りたたんでから貼る

Baby Animals

BOOK
B

のりしろ

絵本の箱の内箱（B）

に貼ります

のりしろ　折りたたんでから貼る

Bedtime Stories

BOOK
C

のりしろ

絵本の箱の内箱（C）

に貼ります

人形たち　できあがり写真　15 ページ

箱をきれいにつくるために＝箱づくりに必要なもの

紙を切る道具

ハサミやカッターナイフ、カッターマットを使います

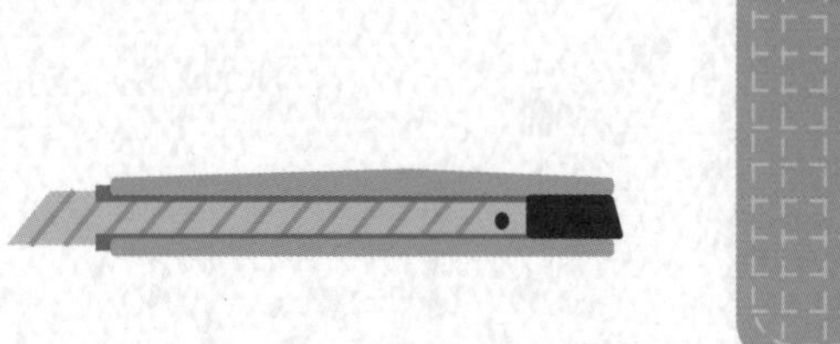

箱の折り目のスジを入れる道具

■切りぬいてつくる箱は、
箸やインクが出なくなったボールペンで軽くスジを入れます
■平面図からつくる箱は、
インクが出なくなったボールペンで、
型紙の上からしっかりスジを入れます
■どちらの場合も、
必ず定規をあて、点線のとおりにスジを入れてください

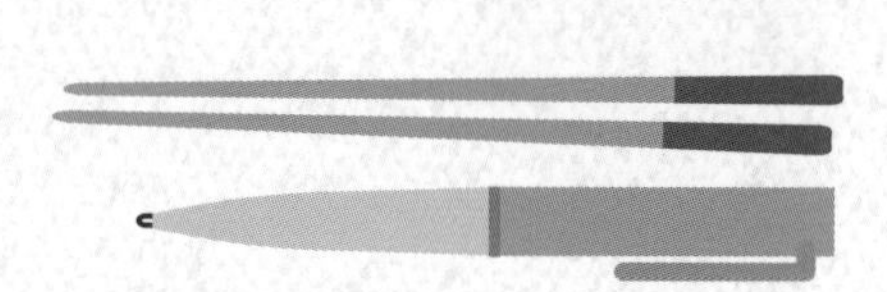

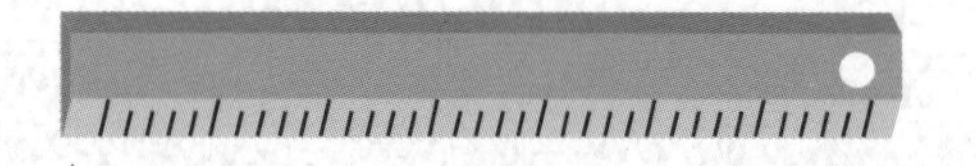

紙を貼り合わせるのには

厚紙用や紙用のボンドで早く接着できるタイプが最適です。
細かい部分には、目打ちがあると役立ちます

ラベルを貼るときには、両面テープを使うと、
きれいに貼れます

平面図からつくる箱は、
まずつくりたい大きさを決めて平面図をコピーし、
型紙をつくります。
セロハンテープで、箱をつくるための別紙に、
型紙を貼って切りぬきます（63ページ参照）

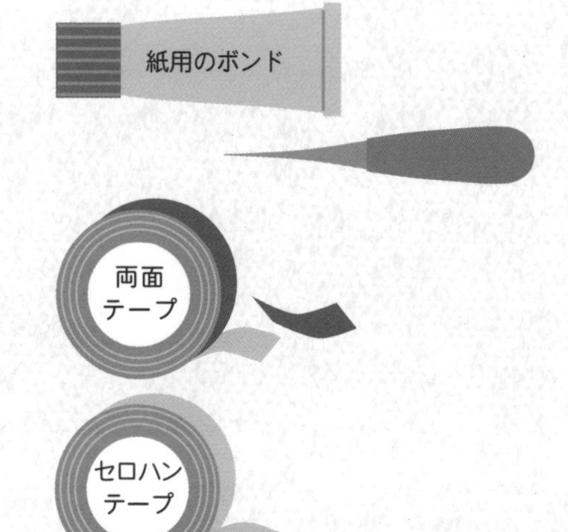

箱をつくる紙は

■平面図からつくる箱に使用する紙は、
紙の厚さが、なるべくこの本の切りぬく箱（21ページ～60ページ）に
使用している紙と同じぐらいの紙を目安にして選ぶと良いでしょう
■ノートや雑誌、スケッチブックの表紙でも箱がつくれます。
あまり厚すぎる紙の場合、折り目がやぶれてしまうことがあるので
たたんで確認してみてからつくりましょう
■平面図をあまり極端に拡大縮小したり、選んだ紙が厚すぎると、箱としてのバランスが悪くなります。
たとえばふた付き箱は、ふたが本体にはまらなくなる場合がありますので、注意してください

箱のつくりかた

切りぬいてつくる箱

39ページの鳥かごで
解説しています

図の中の薄い色の
部分はのりしろです

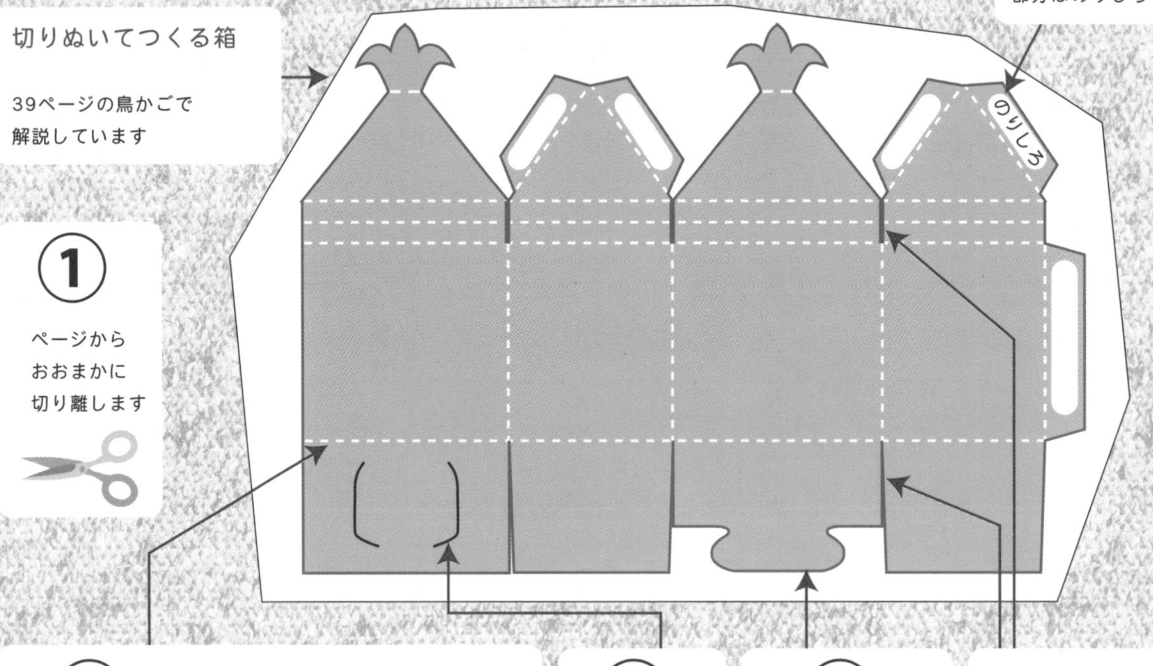

①
ページから
おおまかに
切り離します

②
はじめに、折り目の点線に、
箸やインクの出なくなった
ボールペンで、軽くスジを入れます。
組み立てやすくなります

あまり強く入れると、
紙に傷が入ってしまうので、
気をつけましょう

③
カッターで
切り込みを
入れます

④
輪郭線にそって、
ハサミかカッターで
切りぬきます

実線が、折り目の
点線と交差していたり、
輪郭の内側にのびて
いるところもあります。
よく見て、
図の中にある実線は
すべて切っておいて
ください

⑤
切りぬいたら、組み立てる前に
②でつけた折り目にそって
折りたたんでください。
きれいな箱にしあげるポイントです

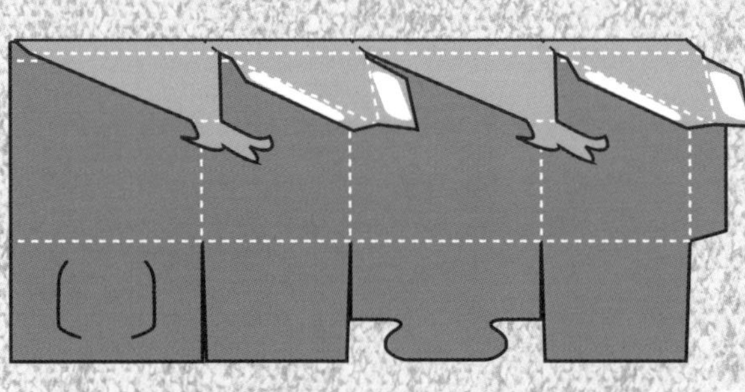

⑥
接着する前に一度、
おおまかに組み立てます

すこし複雑な形の箱でも
組み立てれば、
のりを貼る位置がわかりやすく
なります

⑦ 接着には、
両面テープより、
ボンドの方が、密着するまでに
少し時間がかかるので、
貼り位置を調整することができ、
きれいにしあがります

ボンドはなるべく少量にします。
多くつけすぎると、
ボンドの水分で
紙がゆがんでしまいます

指の入らない小さなところは、
ボンドをつけてから
目打ちや箸で押さえます

⑧ 切り込みに紙を通しにくいときは、
表側から、切り込みにそって
目打ちの先を入れ、
切り込み口のすきまを
少し広げてください

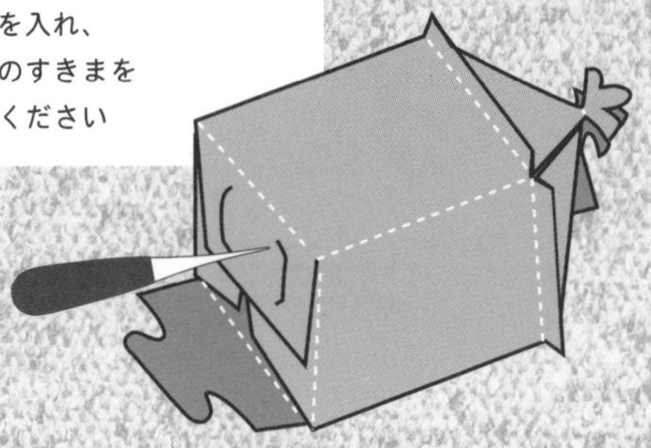

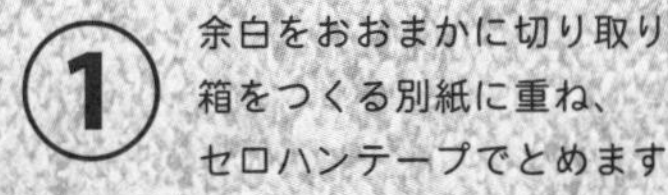

鳥かごのできあがり !!!

平面図からつくる箱は、

平面図を拡大・縮小コピーして
型紙をつくります

★型紙の図面の中の実線は、
すべて線にそって切ります。
点線を折ります

① 余白をおおまかに切り取り
箱をつくる別紙に重ね、
セロハンテープでとめます

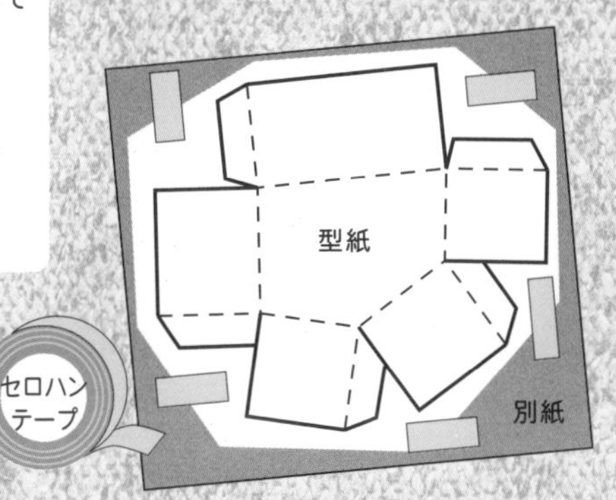

② インクの出なくなったボールペンで、
別紙に跡がつくように
しっかりスジを入れます。
カッターで切り込みや穴を開けます

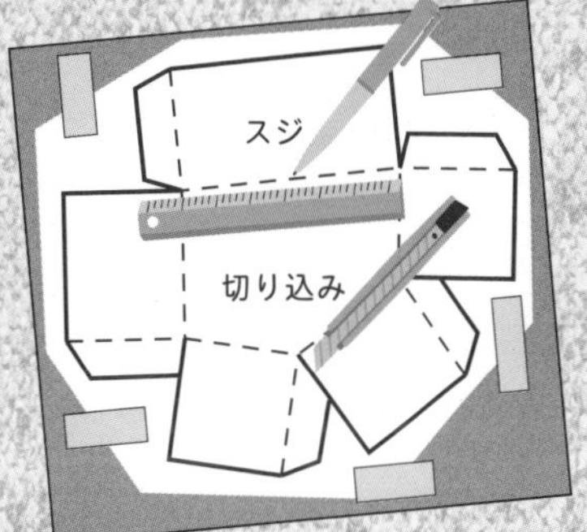

③ 型紙をつけたまま
切りぬきます

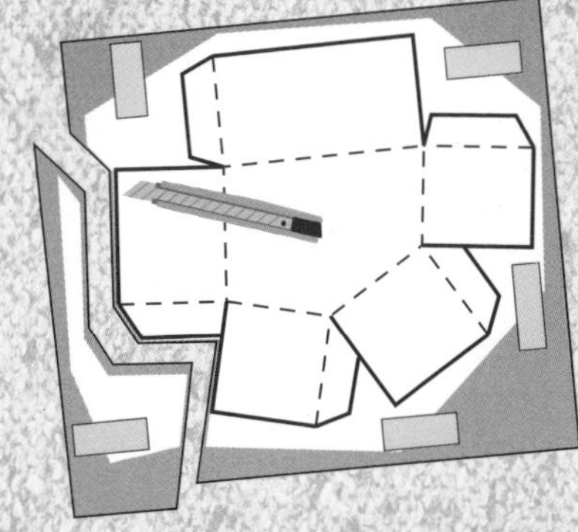

④ 切りぬいてつくる箱⑤⑥⑦⑧と
同じ要領で別紙を組み立てます

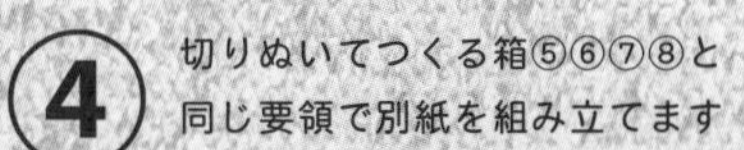

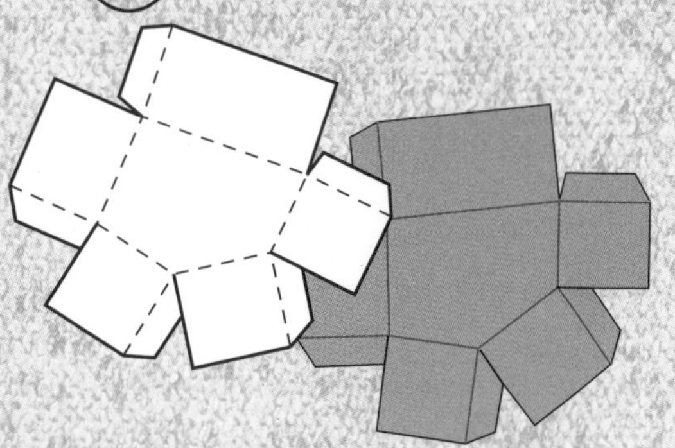

ふた付きの円形箱（ホールケーキの箱）

できあがり写真　02ページ

150%に拡大して箱をつくると、
30ページのケーキの箱が
全部収納できます。
100%でつくると
19ページのケーキのラベルに
ちょうどよいサイズです。

150%に拡大
（本体の底）

150%に拡大
（ふたの上面）

この順に貼ります

側面は、切りぬいたら
紙を丸める

のりしろを折り、
底や上面のフチに
合わせて貼る

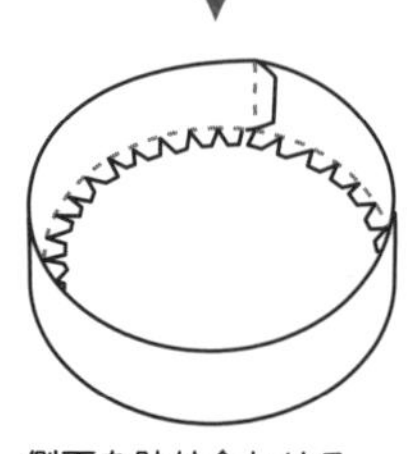

側面を貼り合わせる

のりしろ

本体のフチの曲線にそって貼る

150%に拡大
（本体の側面）

本体のフチの曲線にそって貼る

150%に拡大
（ふたの側面）

持ち手付きの箱（救急箱） できあがり写真 13 ページ

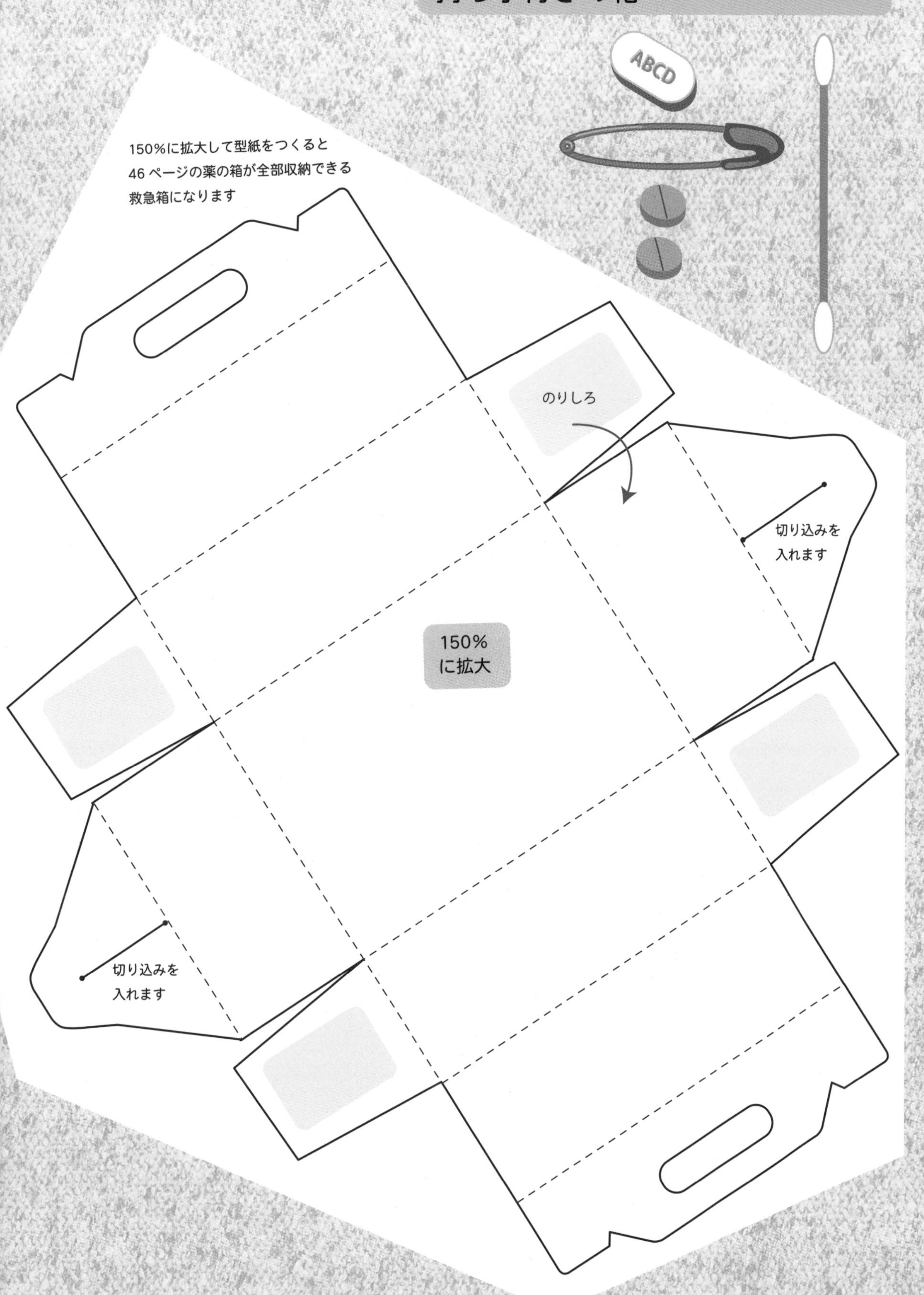

小さな箱セット

（人形たちの箱）
できあがり写真　15 ページ

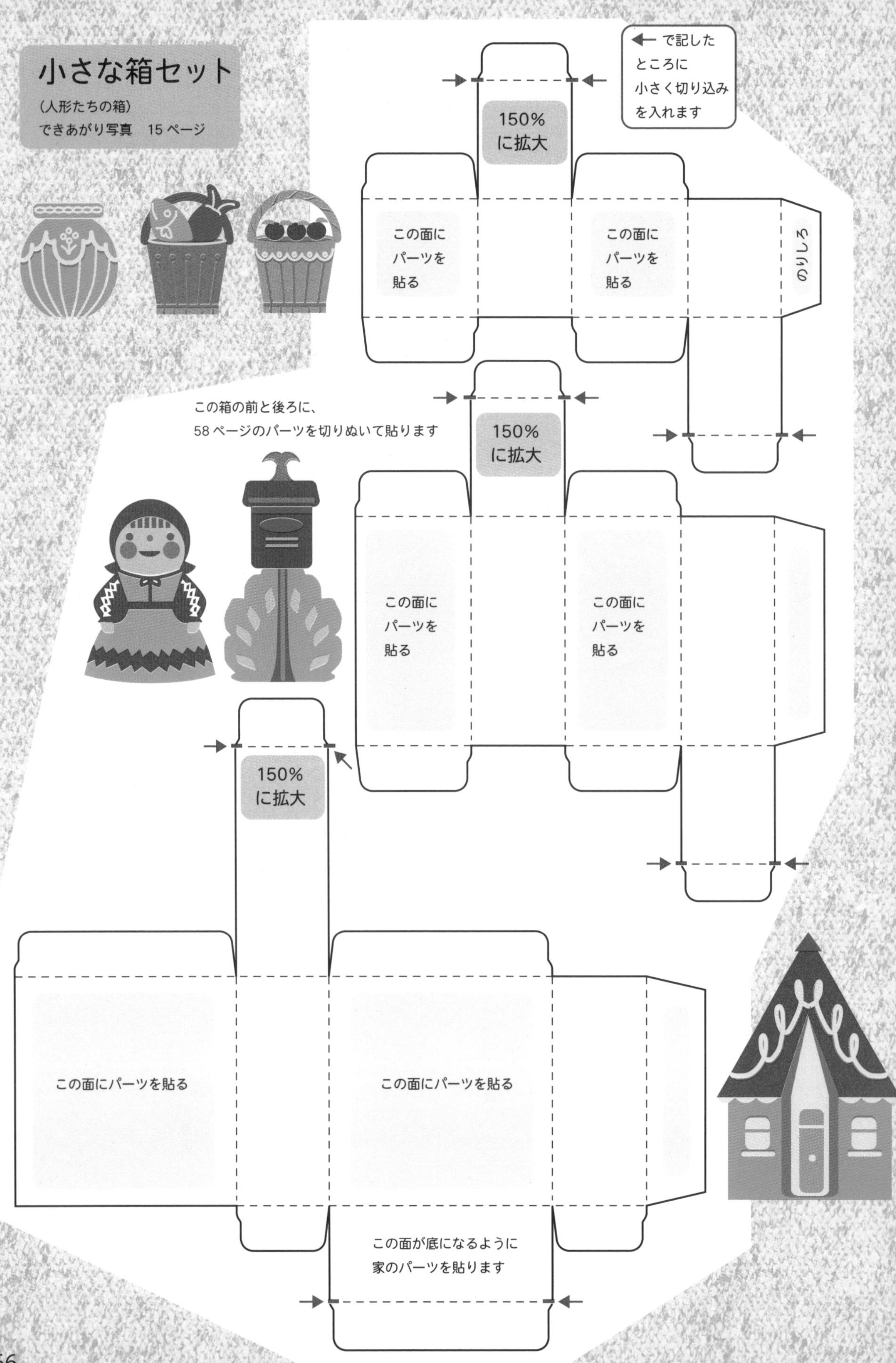

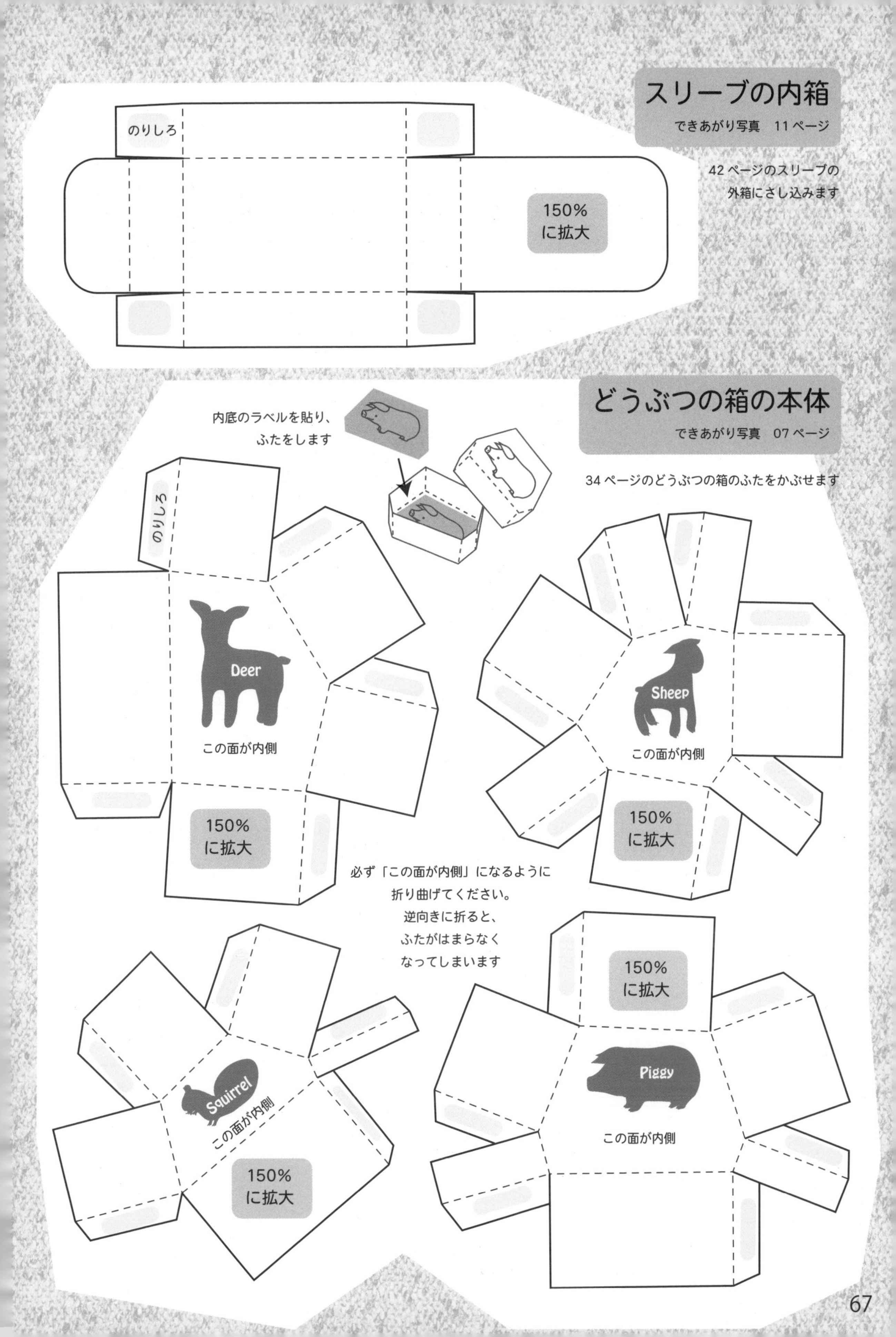
スリーブの内箱
できあがり写真　11 ページ
42 ページのスリーブの
外箱にさし込みます
のりしろ
150%
に拡大
どうぶつの箱の本体
できあがり写真　07 ページ
34 ページのどうぶつの箱のふたをかぶせます
内底のラベルを貼り、
ふたをします
のりしろ
Deer
この面が内側
150%
に拡大
Sheep
この面が内側
150%
に拡大
必ず「この面が内側」になるように
折り曲げてください。
逆向きに折ると、
ふたがはまらなく
なってしまいます
Squirrel
この面が内側
150%
に拡大
150%
に拡大
Piggy
この面が内側

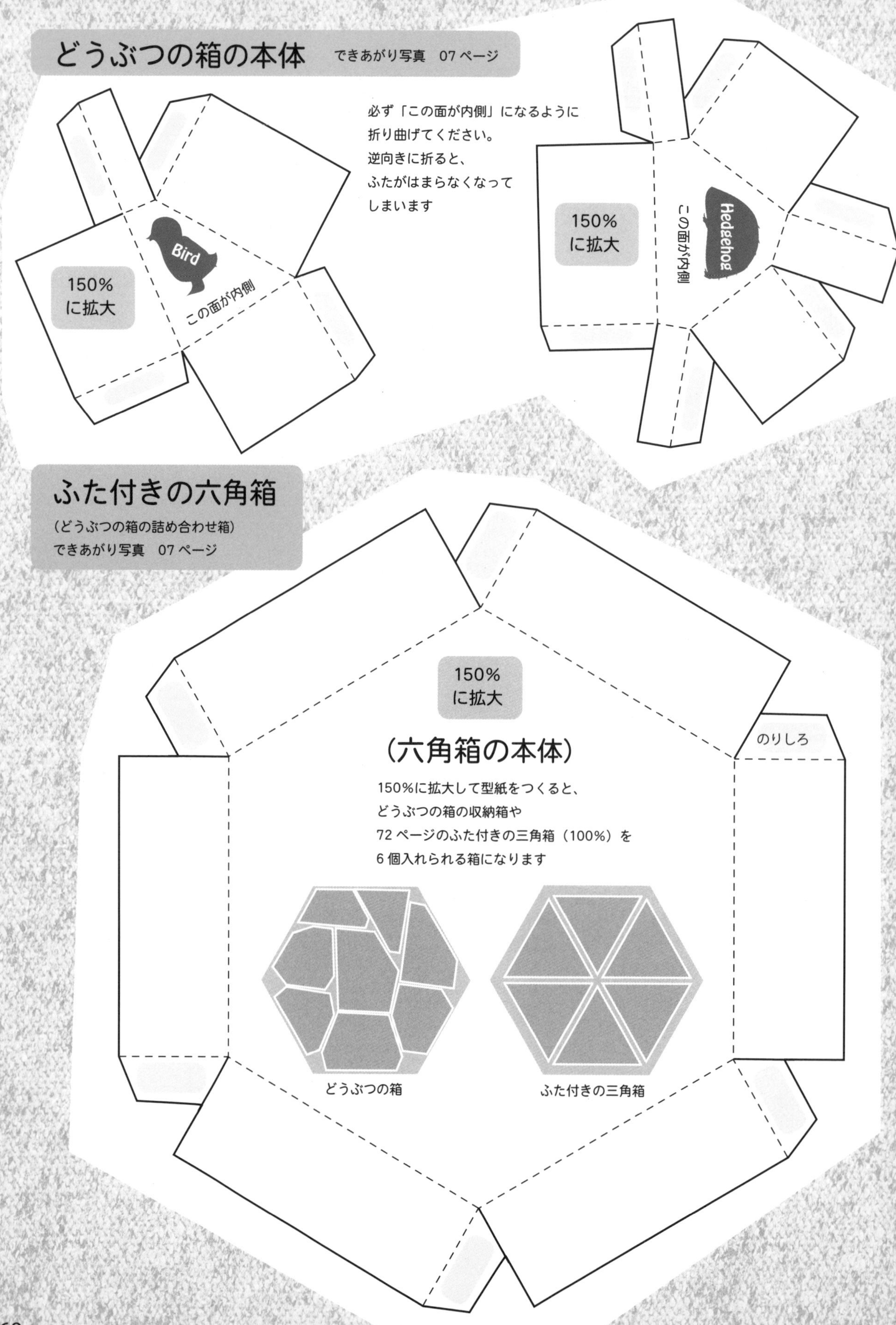
どうぶつの箱の本体
できあがり写真　07 ページ
必ず「この面が内側」になるように
折り曲げてください。
逆向きに折ると、
ふたがはまらなくなって
しまいます
150%
に拡大
Bird
この面が内側
150%
に拡大
Hedgehog
この面が内側
ふた付きの六角箱
（どうぶつの箱の詰め合わせ箱）
できあがり写真　07 ページ
150%
に拡大
（六角箱の本体）
150%に拡大して型紙をつくると、
どうぶつの箱の収納箱や
72 ページのふた付きの三角箱（100%）を
6 個入れられる箱になります
のりしろ
どうぶつの箱
ふた付きの三角箱

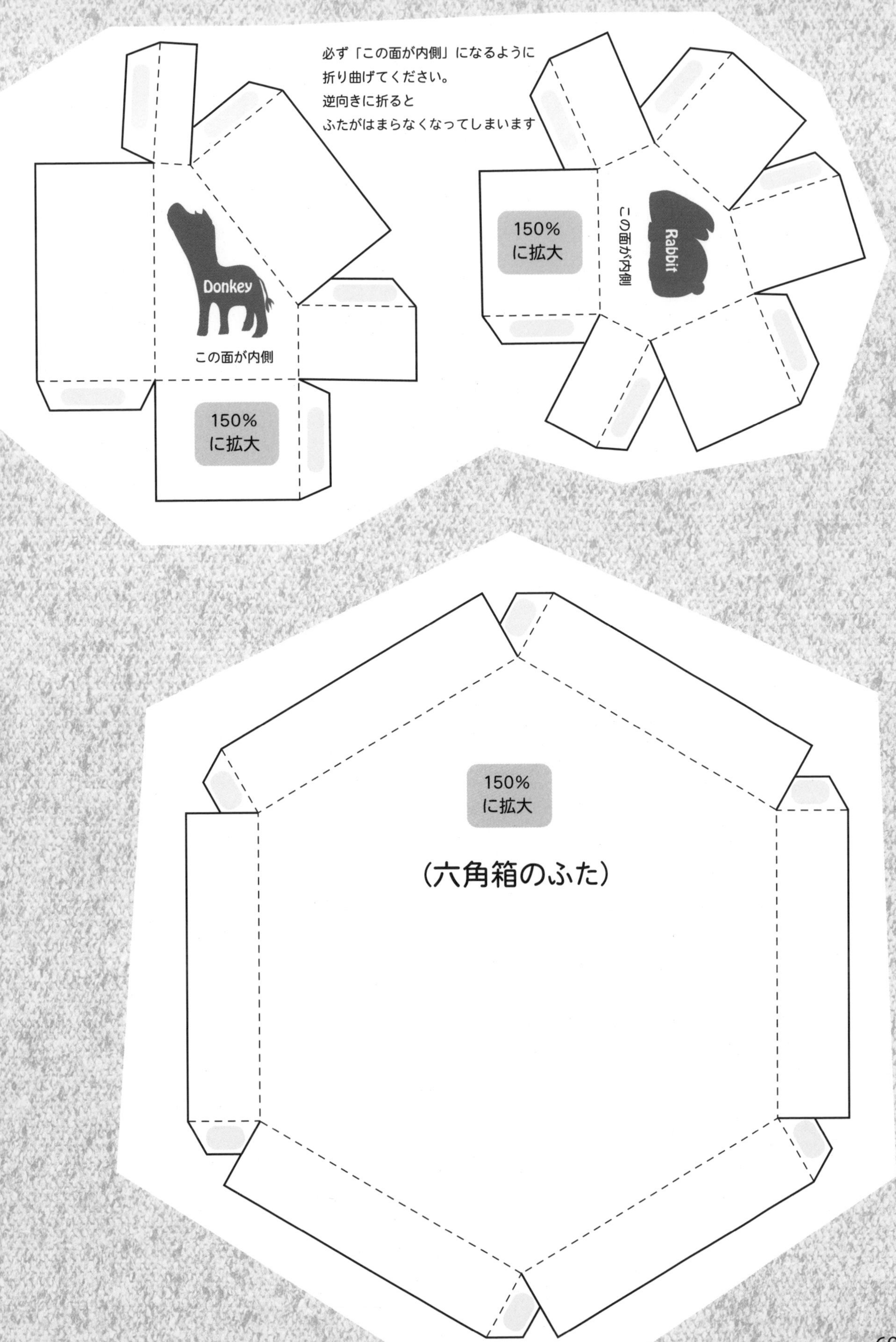
必ず「この面が内側」になるように
折り曲げてください。
逆向きに折ると
ふたがはまらなくなってしまいます
Donkey
この面が内側
150%
に拡大
この面が内側
Rabbit
150%
に拡大
150%
に拡大
（六角箱のふた）

絵本の箱の内箱

できあがり写真　12 ページ

絵本の箱の内箱をつくって、
54 ページの ABC それぞれの
切りぬいてつくる絵本の箱の
表紙に貼ります

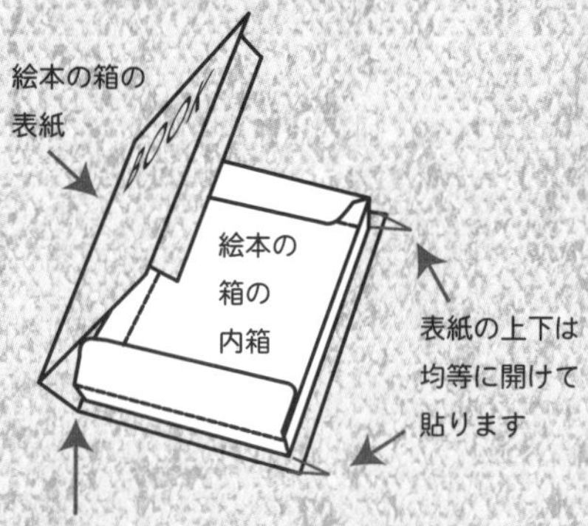

表紙の背の折り目と
内箱の角を
合わせるようにして
貼り合わせます

のりしろ

BOOK
A
この面を、
表紙の裏面の
のりしろに貼ります

150%に拡大

BOOK
B
この面を、表紙の裏面の
のりしろに貼ります

150%に拡大

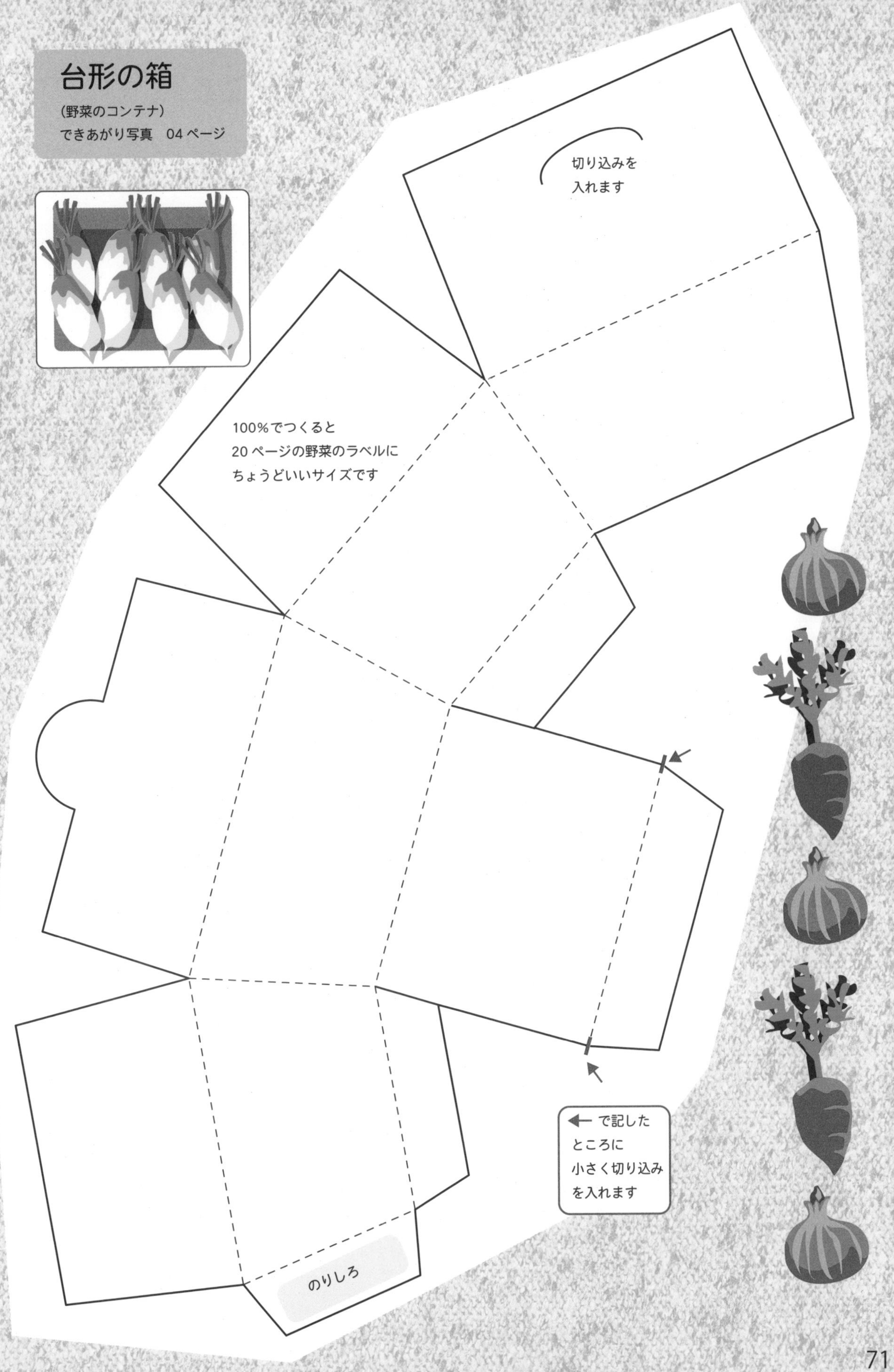
台形の箱
（野菜のコンテナ）
できあがり写真　04 ページ
切り込みを
入れます
100％でつくると
20 ページの野菜のラベルに
ちょうどいいサイズです
で記した
ところに
小さく切り込み
を入れます
のりしろ

ふた付きの三角箱

できあがり写真　16 ページ

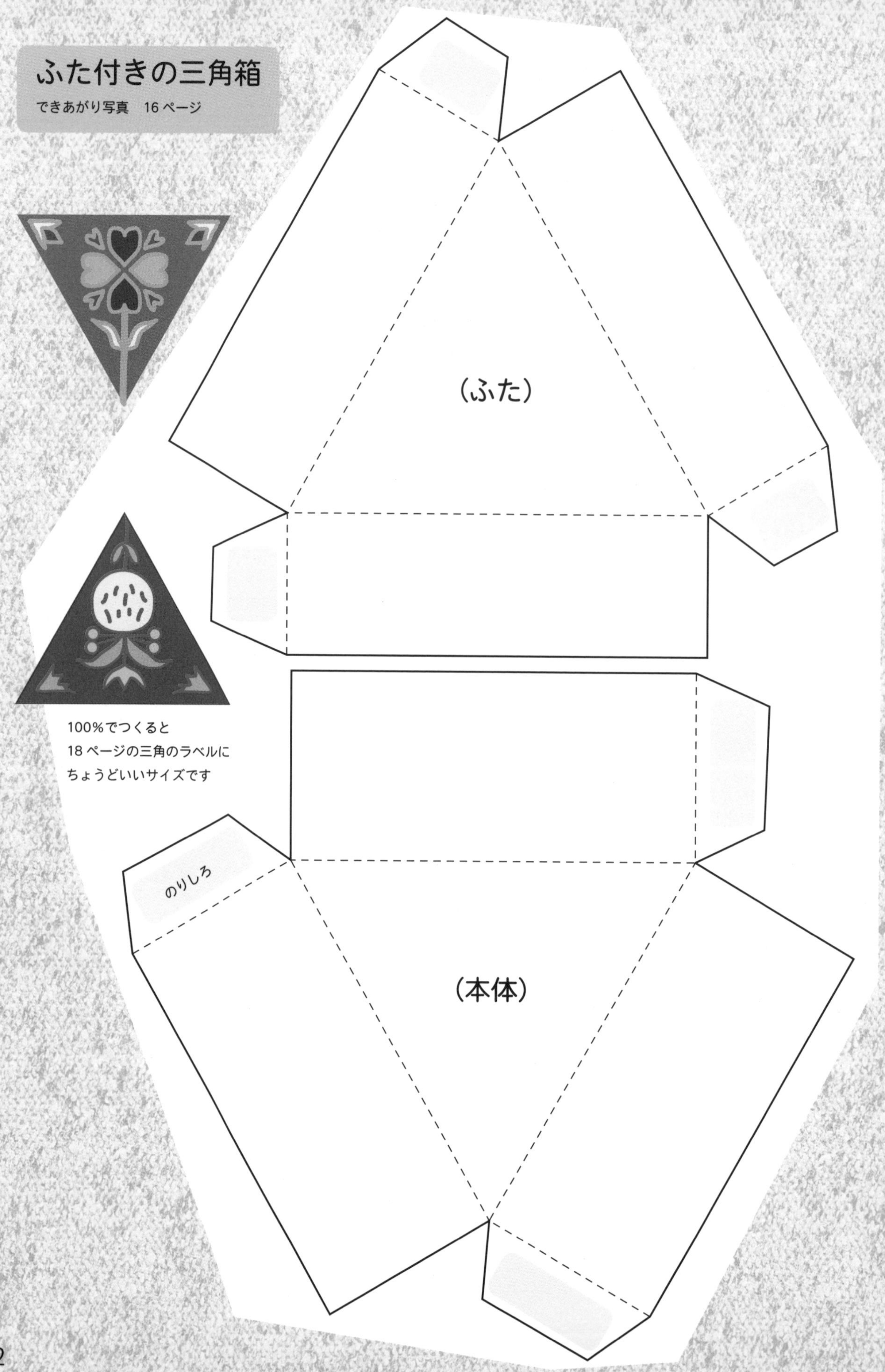

100%でつくると
18 ページの三角のラベルに
ちょうどいいサイズです

テトラ形の箱

（ツリーの箱）

できあがり写真　06ページ

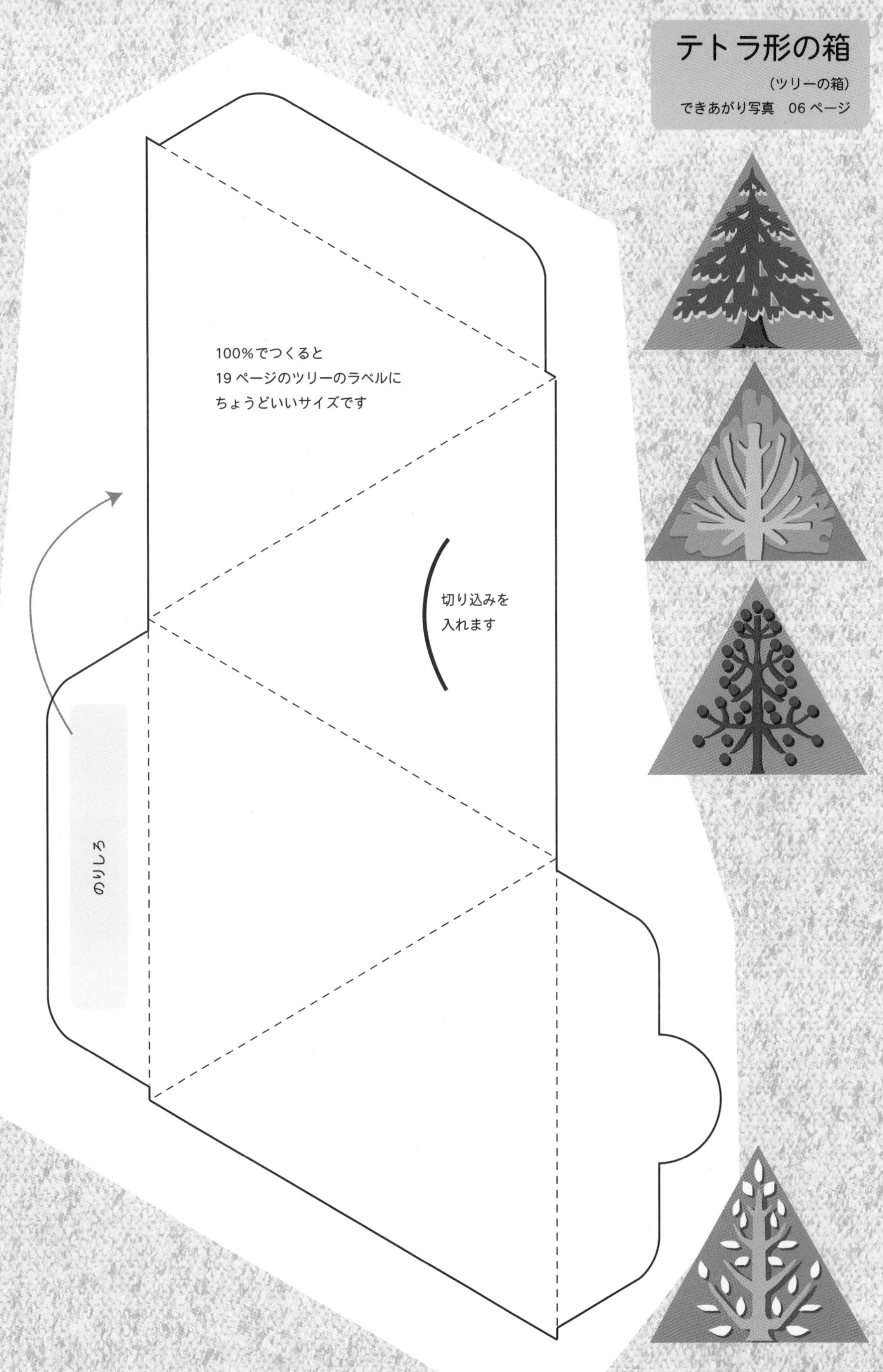

四角い箱

(お裁縫こものの箱)
できあがり写真　10 ページ

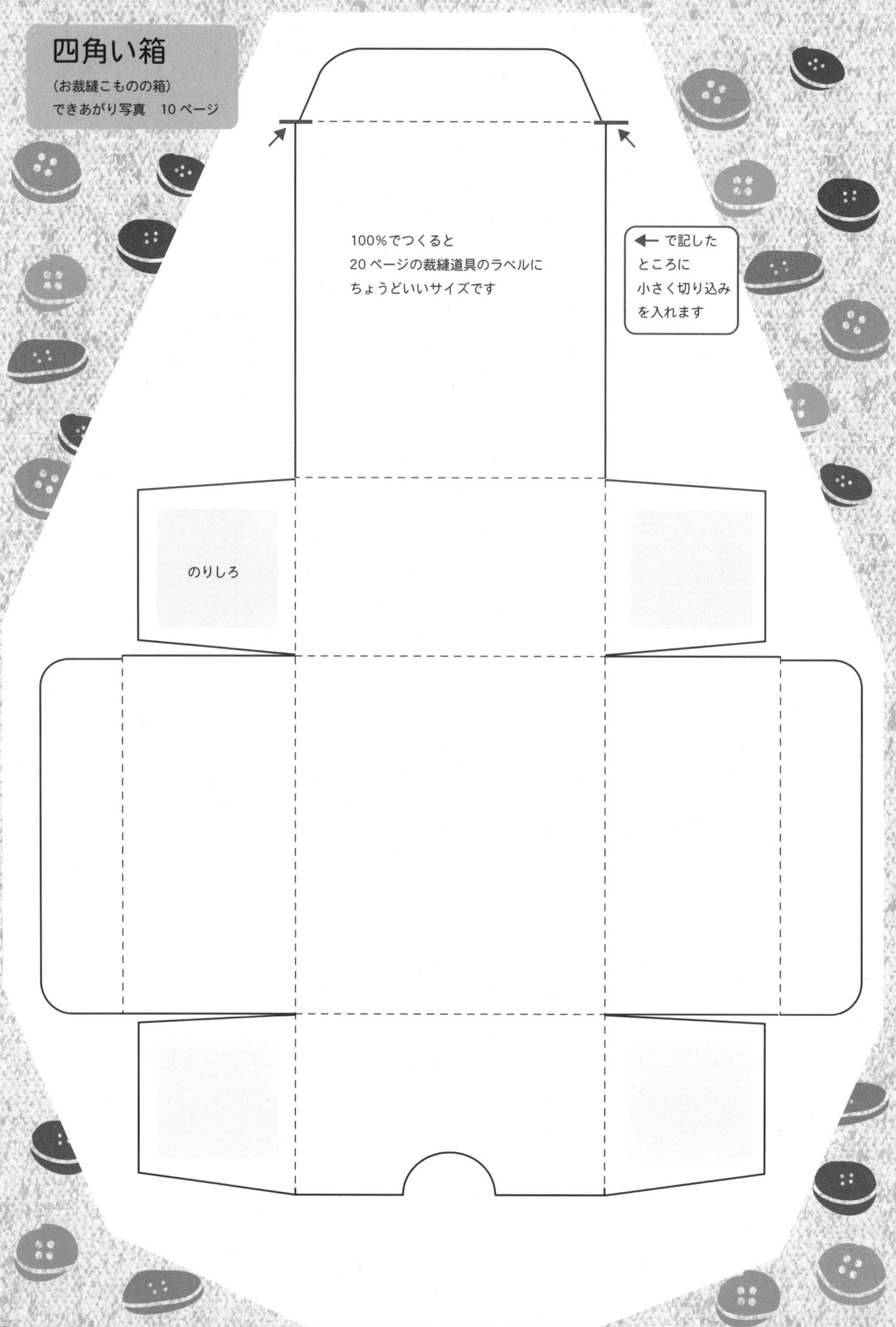

壁かけ箱（巣箱とポストと牛乳箱）

できあがり写真　08ページ

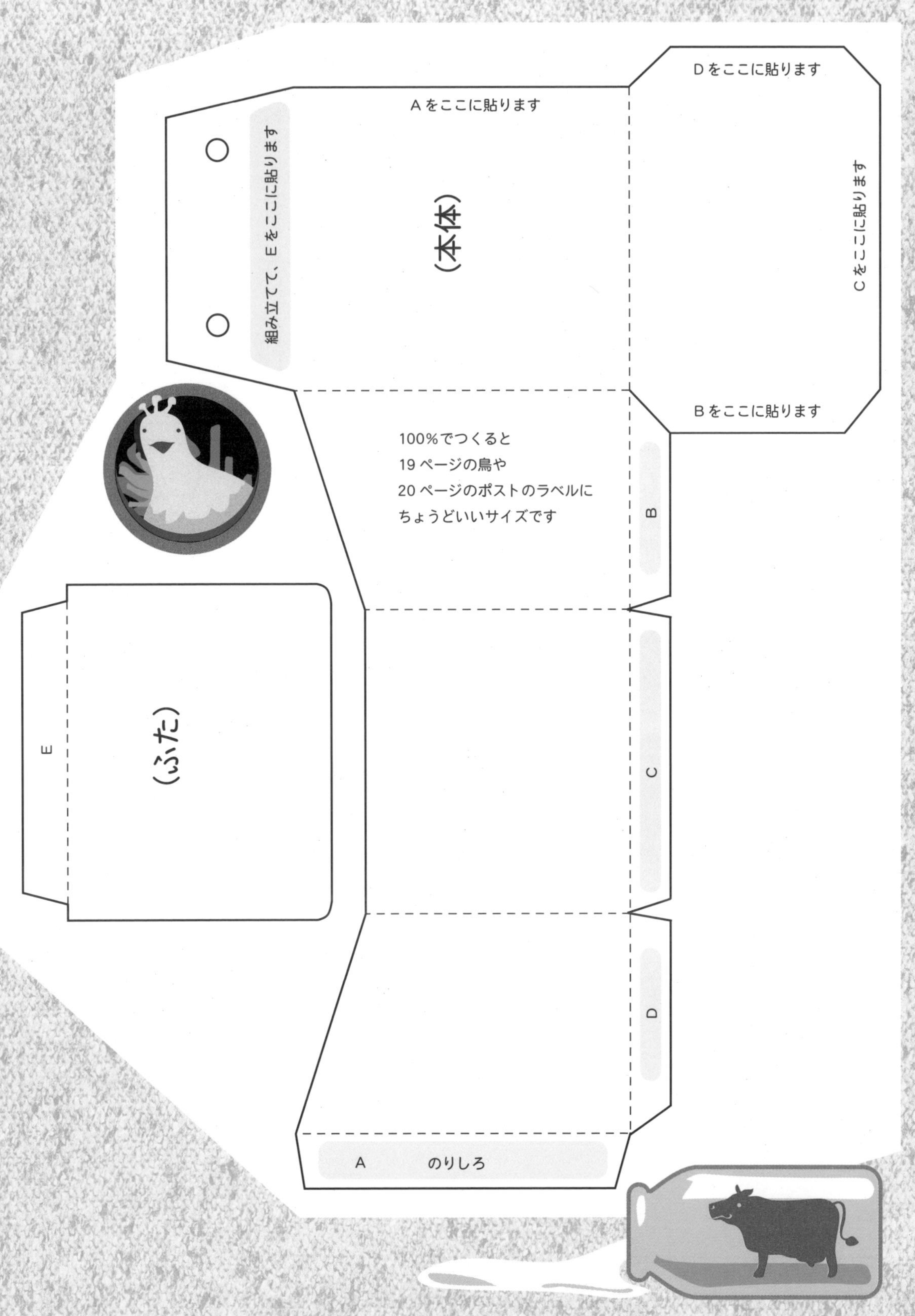

バナナの箱

できあがり写真　05 ページ

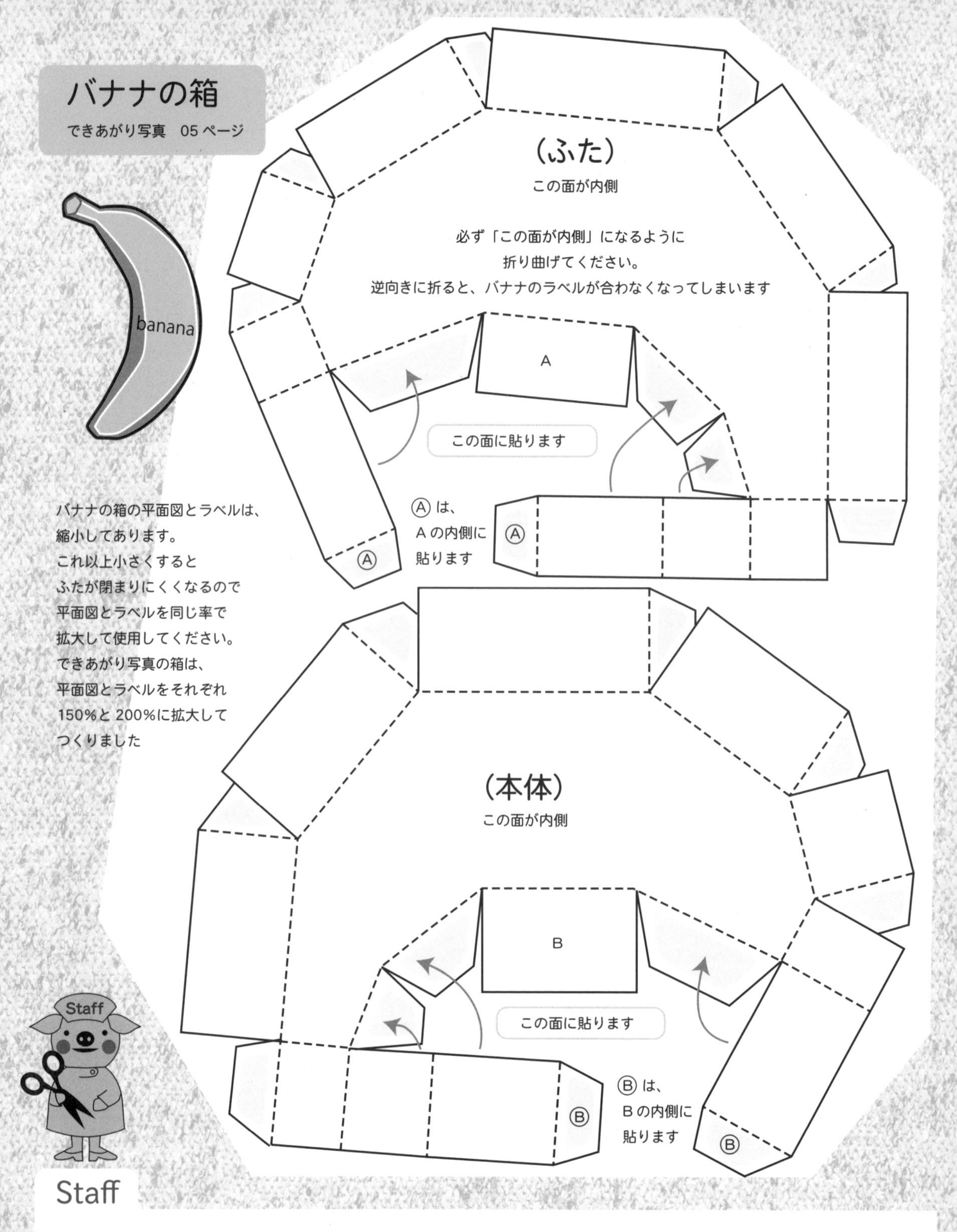

バナナの箱の平面図とラベルは、
縮小してあります。
これ以上小さくすると
ふたが閉まりにくくなるので
平面図とラベルを同じ率で
拡大して使用してください。
できあがり写真の箱は、
平面図とラベルをそれぞれ
150%と 200%に拡大して
つくりました

Staff

作品制作：ピポン（がなはようこ＋辻岡ピギー）

■がなはようこ
東京都生まれ。中央大学卒業。商品プランニング・イラスト・オブジェ制作・ディスプレイ・書籍の企画デザインなど、活動は多岐にわたる。

■辻岡ピギー
大分県生まれ。嵯峨美術短期大学卒業。染色家、原宿友禅主宰。新鮮で楽しいオリジナル作品を多数制作。新しい手芸の提案や講師としても活躍中。

ウェブサイトに楽しいハンドメイド作品を多数掲載しています。ぜひご覧ください！
http://www.sigma-pig.com/

写真：池田ただし
イラスト：がなはようこ
装丁：陰山真実（Aleph Zero, inc.）